BOOK SOLD
NO LONGER R.H.P.L.
PROPERTY

Александр

ЛИТВИН

Александр

ЛИТВИН

Они найдут меня сами

Москва
2016

УДК 159.9
ББК 88.6
Л64

Фото на обложке: *Игорь Савкин*

Литвин, Александр.

Л64 Они найдут меня сами / Литвин Александр. – Москва : Издательство «Э», 2016. – 336 с.

Три месяца пролетели как один день. Три месяца напряженной работы. Обучение в процессе и за его пределами. Вначале этой марафонской сессии у меня не было и четверти тех знаний, что есть сейчас. В «Битве» я поверил в себя. Именно тогда, под софитами, в прицеле видеокамер, осененный Андреевским крестом маховой кистью гримера Оксаны, практически с переставшим биться, замершим сердцем я шел на каждое испытание, как на амбразуру, на амбразуру недоверия и скепсиса. Каждый раз брал за горло самых главных врагов – собственное сомнение и логику. Моя хватка от испытания к испытанию становилась все тверже, а желание постичь причину побед увеличивалось с каждым днем!

Я очень доволен собой: это были очень сложные экзамены, но то, что было за периметром проекта, было еще сложнее. И моя работа вне съемок была порой на порядок важнее и интереснее. Я не случайно попал в Тулузу, Стамбул и Несебыр, и похоже на то, что я вовсе не случайно выиграл в той, шестой, «Битве». А это была именно битва, самая настоящая, и она еще не закончена. Моя битва за Истину.

УДК 159.9
ББК 88.6

Литературно-художественное издание

ОНИ НАЙДУТ МЕНЯ САМИ

Директор редакции *Е. Капьёв*. Ответственный редактор *А. Серов*
Художественный редактор *В. Терещенко*. Редактор *Е. Сатарова*
Верстка *Н. Зенков*. Корректор *Н. Калиниченко*

ООО «Издательство «Э»
123308, Москва, ул. Зорге, д. 1. Тел. 8 (495) 411-68-86.

Өндіруші: «Э» АҚБ Баспасы, 123308, Мәскеу, Ресей, Зорге көшесі, 1 үй.
Тел. 8 (495) 411-68-86.
Тауар белгісі: «Э»
Қазақстан Республикасында дистрибьютор және өнім бойынша арыз-талаптарды қабылдаушының өкілі «РДЦ-Алматы» ЖШС, Алматы қ., Домбровский көш., 3«а», литер Б, офис 1.
Тел.: 8 (727) 251-59-89/90/91/92, факс: 8 (727) 251 58 12 вн. 107.
Өнімнің жарамдылық мерзімі шектелмеген.
Сертификация туралы ақпарат сайтта Өндіруші «Э»

Сведения о подтверждении соответствия издания согласно законодательству РФ о техническом регулировании можно получить на сайте Издательства «Э»

Өндірген мемлекет: Ресей
Сертификация қарастырылмаған

Подписано в печать 29.12.2015. Формат 60x90 1/16.
Печать офсетная. Усл. печ. л. 21,0.
Тираж 12 000 экз. Заказ 9862.

Отпечатано с готовых файлов заказчика
в АО «Первая Образцовая типография»,
филиал «УЛЬЯНОВСКИЙ ДОМ ПЕЧАТИ»
432980, г. Ульяновск, ул. Гончарова, 14

16+

ISBN 978-5-699-65812-1

Я ПРЕТЕНДУЮ НА ИСТИНУ

Автор

Моему старшему сыну и другу Евгению посвящается

2014 ГОД. ВЕСНА

Маша волновалась. Она чуть пригубила чай из тонкой фарфоровой чашки и низким тихим голосом начала свой рассказ.

— История моя странная и необычная. Мне тридцать семь лет, и в моей жизни хватало чудес и разных приключений, но то, что привело меня к вам, не укладывается ни в какие логические понятия. Тридцать лет, ровно тридцать лет назад мне приснился этот сон. Я была семилетней девочкой, когда впервые увидела его. А проснувшись, и представить не могла, что это «кино» затянется на тридцать долгих лет. Этот сон я вижу снова и снова, когда раз в неделю, когда два. Снова и снова. Один и тот же сон. Знаете, есть фильм «День сурка», а у меня — «ночь сурка»: все совершенно одинаково, до малейших деталей. И сурок этот — я. Загнанный сурок, который не может рассказать этот сон никому, потому что боится прослыть ненормальным. Вы сможете мне помочь?

Мы сидели друг напротив друга. Лицо ее было серьезным, но стать серьезным меня заставило совершенно другое. Я понял, что сейчас здесь, в моем кабинете я узнаю то, к чему, проходя все испытания и экзамены, шел, вероятно, всю свою жизнь. И, возможно, именно сейчас я наконец-то пойму смысл всего происходившего со мной. Это понимание было мгновенным, как взрыв, как выстрел, как неожиданно включенный свет.

Время остановилось. У меня так бывает — в самые ответственные или опасные моменты моей жизни время замирает и пространство погружается в холодный туман. Поудобней устроившись в кресле, я поднес правую руку к голове, обхватил лоб и глаза так, чтобы сквозь закрытые веки проникало минимальное количество света, и стал слушать рассказ Марии. Это была не просто удобная поза: принятие такого положения тела в пространстве стало для меня неким ритуалом, позволяющим практически незаметно для окружающих настроить себя на нужную волну.

— Самый первый сон… он начался резко, без преамбулы, без каких-то вступлений. Как будто включили фильм в строго определенном месте. Некий фрагмент, вырванный из событий. Я бегу. Бегу по узким улицам незнакомого города. Меня настигает толпа людей. Я не оборачиваюсь, я просто слышу их дыхание, топот их ног, их крики. Я чувствую запах горелого мяса, это пахнет моя кожа, я чувствую, как стрелы срывают с меня ее куски. Те, кто сзади, кидают в меня камни, палки. Над головой и рядом то и дело пролетают копья и ножи. Я бегу так быстро, как только могу, я хочу оглянуться, но понимаю, что могу потерять драгоценное время. Сердцу не хватает места в груди, дыхание мое вырывается со свистом, я задыхаюсь от этого сумасшедшего бега. С хрипом в сухом саднящем горле я выбегаю на какую-то площадь и вижу фонтан, он стоит в самом центре площади. Я делаю неимоверное усилие и с последней надеждой на избавление, без колебаний ныряю в этот фонтан и… просыпаюсь. Просыпаюсь с тем же хрипом, что и во сне, с саднящим горлом, в состоянии полного безумства, еще не понимая, что это был сон и все уже закончилось.

Маша замолчала, и я слышал ее тяжелое дыхание. Сам я практически перестал дышать.

Я смотрел ее сон вместе с ней. Я был еще там, в нем. По мере повествования я наблюдал со стороны этот забег по узкой улице, я видел этих безумных людей в старинных одеждах, с факелами и оружием в руках, и я видел этот фонтан. Фонтан… Фонтан… Фонтан показался мне знакомым. Я был возле него прошлым летом! Я знаю, где он находится! Меня передернуло от холода.

Открыв глаза, я придвинул к себе ноутбук и зашел в приложение с картами. В поисковой строке набрал адрес: Toulouse, Place Roder Salendro. И в тот же момент меня просто накрыло холодной волной. Холод был таким, что у меня возникла мысль включить режим обогрева на кондиционере.

Я поднял глаза на Марию и развернул к ней экран. «Смотри». Мысленно я уже окрестил ее Марьям — как ни странно, блондинке Маше это восточное имя подходит больше. Ах, как же я люблю удивлять людей. Она посмотрела на экран, и ее всю затрясло. И без того светлая кожа стала просто белой и прозрачной, такой, что были видны прожилки голубоватых вен.

— Что это за город? — она еще не понимала, что происходит. — Это же он, этот город из моего сна!

— Это Тулуза. Ты когда-нибудь была там?

— Нет, никогда. Но я знаю это место и эти улицы. Я по ним бежала. — Мария не отрывала глаз от экрана, сонная артерия на ее шее пульсировала так, как будто девушка опять бежит по улицам, по городу из своего сна.

— Мария, тебе надо съездить туда и погулять. Я думаю, тебе есть что вспомнить. Все, что было с твоим далеким предком. А теперь давай, рассказывай детали сна.

Маша сидела в полном изумлении. Она несколько раз повторила: «Ничего себе... Ну ничего себе!» Честно признаться, я тоже был удивлен. Я не подал виду, но меня просто разрывало от того, с какой легкостью я увидел сон другого человека: я бежал рядом с ней, я имел возможность оглянуться и увидеть озверевшие лица безумных людей — они, как собаки, сорвавшиеся с цепи, были готовы рвать ее тело. И факелы. Многочисленные факелы в руках толпы вернули мне эмоцию ужаса из детства, когда я случайно поджег бочку с бензином…

Теперь Маша была готова засыпать меня вопросами. «Александр, как вы думаете, что мне снится? Кто я? Это из прошлой жизни? Я кем-то там была? Зачем за мной бежали все эти люди? Кто они? Почему они хотели меня убить? Мне на самом деле кто-нибудь угрожает?» Она, обычно обстоятельная и неторопливая, задала мне массу вопросов, на которые у меня был ответ, но я боялся его озвучить.

Если мое предположение верное, то, озвучив его, я стану на пути у машины смерти, которая смела не один миллион человек. Этот агрегат и сейчас смазан, с заправленными баками и всегда готов отутюжить не просто человека, а всю историю человечества.

1.

Свой первый эфир я не забуду никогда. 28 сентября 2008 года. А накануне, 27 сентября, Наталье исполнилось бы сорок шесть. Как же мне ее не хватало! Она была вторым в моей жизни человеком, кому я что-то доказывал. Первым был я сам.

Мое первое появление на экране телевизора повергло всех в шок. Мой секрет, моя стратегическая тайна стала известна всем моим родным и знакомым. Пути назад не было.

Мы сидели дома втроем: мои парни, еще находящиеся в сильнейшем стрессе после ухода мамы, и я — в состоянии бомбы с тикающим механизмом, с дурацкой улыбкой на лице и с внутренним ощущением готовности порвать любого, кто осмелится угрожать моим детям. Мы представляли собой тихий динамит из эмоций, которые невозможно описать словами. Мы ждали.

Детонатором стал телефонный звонок. Звонок из Владивостока от коллеги по таможне, узнавшего меня в телевизоре. Кроме «ну ты, блин, даешь!» я толком ничего не понял. А потом понеслось. По мере смены часовых поясов и выхода в эфир программы в том или ином часовом поясе, звонков становилось все больше и больше. И вот наступило уральское время. Теперь звонили одновременно три телефона. «Да, да, это папа», — отвечали звонившим Евгений и Альберт. «Да, да, это я», — отвечал я обалдевшим, ошалевшим и вдруг в одночасье ставшим какими-то счастливыми людям. Старикам я позвонил сам.

— У меня нет слов, — сказала мама, — я просто глазам не поверила. Я знала, что ты можешь удивлять, но так ты еще никогда нас не удивлял.

— Как я тебе в телевизоре? — мне очень хотелось, чтобы мама оценила мою работу. — Я еще не видел программу, она будет только через час.

— Все хорошо, ты в телевизоре красиво выглядишь и говоришь хорошо. В добрый час!

Наконец программа началась и в Москве. Сделав глоток коньяка, я стал смотреть на экран телевизора. Тридцать машин стоят в два ряда в огромном ангаре, в багажнике одной из них спрятан человек. Его надо найти с одной-единственной попытки. Время работы — десять минут.

Вот и моя очередь подошла. Я медленно вел руками перед собой, и в какой-то момент воздух стал упругим, сопротивляющимся. Это изменение было конкретным и понятным. Здесь — есть, здесь — нет. Перепроверил: есть — нет. Конкретно и точно.

Сидя по ту сторону экрана, я снова вспомнил глаза ведущих и аплодисменты в ангаре. Аплодировала вся съемочная группа, искренне и дружно. Они были по-настоящему рады. И это меня удивило. Я почему-то решил, что для них это уже не чудо — они сняли множество программ и должны были бы привыкнуть, но я видел искреннее удивление и восхищение. Да, моя тактика была правильной, я нашел этого человека в багажнике, я **поверил** себе. Но... Кому это надо? Кто дал мне эту возможность — вот так четко и понятно **ощутить** изменение? Я ломал голову над смыслом происходящего: штука, в общем-то, безобидная — найти в багажнике человека, но уж очень понятный сигнал, такой, который не оставил никаких сомнений. Все, что произошло в тот день, все было направлено на уничтожение моего сомнения. И звонок Альберта перед тем, как мне идти в ангар с машинами, — все к одному: **не сомневайся!**

Там был еще не экзамен, там был всего лишь зачет, допуск к экзамену. На тот момент у меня была еще прежняя жизнь, еще была жива Наталья. И там, на экране телевизора, я был еще тем, прежним. Это прошлое ощущали и мои сыновья. Никогда, никогда не будет так, как прежде.

Я допил свой коньяк. «Ну, как вам?» Парни сидели молча. Они еще были там, в прошлом, и каждый из них думал: «Наверное, маме бы понравилось и у нее тоже была бы новая жизнь». И я думал то же самое. Испытание пройдено, работа сделана, но незавершенность была в том, что нет главного человека, кому я всегда доказывал то, что я лучший. Нет здесь, на земле. То, что она знает, я не сомневался, и все равно мне хотелось услышать именно ее оценку.

2.

Я ехал в вагоне метро с блаженной улыбкой на лице и просто заходился от счастья и распирающего ощущения собственной значимости, от ощущения победителя. Война закончилась. Фанфары, ликование друзей и родных, и я — на вершине пьедестала с призом в руках. Тысячи раз я видел эту картину, и мне уже не надо было загонять себя в транс. Одна только мысль и фейерверк эмоций!

Я все время держал в голове конечную цель — мне нужна эта победа. Я ходил по Москве и ловил знаки, которые мироздание мне давало в большом количестве и вселяло уверенность.

Как-то, присев на свою любимую скамейку в Воронцовском парке, я наблюдал за детьми, которые кидали друг в друга вороха осенних листьев. Их голоса в прохладном осеннем воздухе были слышны четко и разборчиво, но при этом они мне совершенно не мешали думать о предстоящем событии. Я снова и снова стоял перед символом своей победы, я сжимал этот кусок стекла в руках, и состояние счастья накрывало меня с головой. Сейчас мне важно помнить только о том, что мои эмоции могут быть реализованы в будущем — я напрягаю память, и она не должна выдавать ничего, кроме счастья! Мне предстоит трудная работа: вспомнить состояние счастья, которое будет в будущем. Вспомнить свое будущее. Крик вернул меня в реальность. «Я победил! Я победил!» — кричал пацан, подкидывая очередной ворох листьев в небо. «Да, ты победил», — сказала мальчугану подошедшая мама. Она сказала это тихо-тихо, но я ее услышал…

График был расписан достаточно жестко. Время делилось на сами испытания и на их ожидание. Аккумуляторная батарея телефона всегда была заряжена, денег на телефонном счете всегда было достаточно. Это была моя боевая экипировка, внешний признак готовности к работе. Сам я находился в постоянной готовности оказаться в течение полутора часов в названном месте. Как для человека служившего, для меня это не представляло трудностей. А вот внутреннее мое состояние не было видно никому.

Испытания занимают в среднем десять минут. Вот в эти десять минут я должен максимально отключиться от мира, который имеет цвет, вкус и запах, который имеет стабильные формы и понятные правила игры, от мира, который имеет историю, день и ночь, ветер и дождь. Я должен отключиться от объективной реальности, но при этом не уйти в тотальную пустоту, а расширить свое сознание до таких размеров, которые бы мне позволили услышать эмоции мест, людей и событий. От меня будут требовать невероятных, с точки зрения человеческой логики, действий, и к этому надо готовиться.

У меня нет памяти на лица, у меня есть память на эмоции. Возможно, это никак не связано с интуицией, но эта память мне чертовски помогает, надо только вспомнить, и все. Только вспомнить. Моя копилка эмоций наполнена достаточно, чтобы почувствовать человека, но задания будут разными, и вполне вероятно, что не все дадутся мне легко. Будут дни, когда я ничего не смогу увидеть: мое лучшее время — полночь, но никто не пойдет мне навстречу, никто не будет выстраивать график съемок исключительно под меня. Если я сам этого не захочу. Стало быть, ощущение счастья от обладания призом должно быть перманентным, тогда люди пойдут мне навстречу и время экзаменов будет совпадать с моей лучшей формой.

Финал проекта приходится на декабрь, а декабрь для меня всегда невероятно везучий период. Это **мое** время в любой год, но декабрь 2008 года — это **самое** лучшее мое время! Да, сначала мне будет сложно. Пока нет устойчивых отрицательных температур, пока листва на деревьях, мне придется сложно, но чем сильней морозы, чем толще лед на реках, тем моя интуитивная сила больше и шансы возрастают многократно.

Мысли об экзаменах забирали все мое время. Сессия обещала быть длинной, мне предстоял трехмесячный марафон, который подводил итог всей моей деятельности за последние сорок с лишним лет. Я ни на минуту, ни на секунду не сомневался в правильности принятого решения, но главный вопрос — для чего? — я оставил на потом, на то время, когда, как мне казалось, стратегическая задача будет выполнена.

Да, тогда эта задача была для меня стратегической, она была смыслом жизни, и вопрос «для чего?» так и остался висеть в воздухе до лучших времен. Вероятно, я изначально поступил правильно, поставив точку в этом вопросе: сначала я сдаю экзамены, а потом уже буду думать — для чего. Я себя знаю, так уж я устроен, что хорошо могу делать только одно дело. Нарушение этого принципа — заведомый провал, а проваливаться я не намерен.

Цель ясна, задача поставлена. Мой жизненный опыт говорит: надейся только на самого себя. Мое оружие — это эмоции, чувства и высочайший уровень **доверия** к своим ощущениям. Кажущаяся простота этого принципа — самый сложный момент. Да — это да, нет — это нет. Остальное от лукавого. Обычный двоичный код, открытый людям еще в древности.

Утром я отправился в магазин. Надо что-то приготовить на обед. Интернет выдал мне рецепт борща с фотографиями-инструкциями, отображающими каждый этап обработки продуктов, и я отправился за ингредиентами.

Магазин как магазин, все как обычно, только продавщица странно смотрела и улыбалась, как будто знает меня. Я начал вспоминать, где ее видел, и тоже улыбнулся. «Я вас знаю! Вы — Александр! Я видела вас вчера по телевизору!» Ах, вот в чем дело… Вот она, слава!

Я не знал, что должен делать в этот момент. Я улыбался этой женщине и почти забыл, зачем пришел. Мне стало вдруг неловко, не потому, что я смутился, а потому, что в моем жизненном опыте не было практики популярности и, соответственно, словарный запас был в этом отношении недостаточен. Работа на таможне и власть, которую она давала, вынуждала многих людей мне улыбаться — на всякий случай. Здесь же было совсем другое. Женщина улыбалась искренне, не рассчитывая на то, что ее доброе расположение принесет ей какие-то преференции. Да, оказывается, это очень приятно — нравиться людям. Я все же собрался и быстро проговорил список необходимых продуктов. Пакет был полон, оставалось только действовать по инструкции из Интернета.

По дороге домой я обдумывал, что мне говорить людям в таких ситуациях, как реагировать на то, что они меня узнали. С каждым эфиром я буду все больше и больше узнаваем и от этого никуда не деться, это существенно ограничит мою свободу, и это же ее существенно расширит. Я много раз слышал слова о том, что человек должен выдержать три испытания: огонь, воду и медные трубы. Но больше всего в жизни я боялся испытания властью. Власть не позволяет делать ошибок. Твое решение должно быть в балансе с твоими функциями и быть правильным и для власти, и для человека, на которого ты свою власть распространяешь. С властью я вроде бы справился. Теперь у меня будет еще одно ранее неизвестное мне качество — популярность. В том, что она будет, сомнений у меня не было.

Меня всегда удивляли люди, замирающие при виде той или иной популярной личности. У меня кумиров нет и не было: так уж получилось, что реализация заповеди «не сотвори себе кумира» далась мне легко. Я где-то прочитал: чтобы стать специалистом в каком-то деле, нужно просто очень хорошо отработать в этой сфере десять тысяч часов — это касается практически всех людей, подпадающих под усредненные характеристики. Но есть дела, которые у нас получаются лучше, чем у других, и тогда вместо средних десяти тысяч часов достаточно одной тысячи. Я уважаю профессионалов. Тех, кто либо за десять тысяч часов, либо за тысячу, но стали совершенными мастерами в своем деле. Мастер ли я, покажет время, а пока мне сорок восемь и я умею слушать себя. И все, что мне предстоит сделать в ближайшие три месяца, — слушать себя!

3.

Испытание. Первое испытание после похорон Натальи. Мне пришлось выслушать соболезнования перед тем, как приступить к работе. Лучше бы они ничего не говорили, но не я устанавливаю правила.

Конверт, внутри фотография. Задание — сказать все, что думаю по поводу фотографии и личности на ней. Какой-то специальной подготовки к этому испытанию я не проводил. Уповая только на себя, я закрыл глаза и попытался сузить свой мир до этого маленького конверта.

Лицо. Очень близко лицо. И голубые глаза. Знакомое лицо. Пытаюсь вспомнить. Лицо отдаляется, и я вижу Наталью. Она смотрит на меня слегка иронично. Я выхожу из этого узкого мира, пытаюсь убрать образ Натальи и опять погрузиться в содержимое этого конверта. Опять очень близко глаза. Успеваю заметить кудрявые волосы. Потом какие-то фрагменты, как в милицейской хронике, что-то похожее на описание судебно-медицинской экспертизы. Положение тела, травмы. Я почувствовал резкую боль в области солнечного сплетения. Убийство. Неприятное ощущение, очень неприятное ощущение несправедливости, трусости и предательства. Но говорить буду только то, что видел, ощущения к делу не пришьешь. Открываю глаза. Говорю все, что видел. Женщина, глаза голубые, описываю травмы, говорю, что это убийство.

Рядом с ведущим стоит невысокая сухощавая пожилая женщина. Прямой, жесткий, смелый взгляд. Она смотрит на меня в упор. Я только что видел эти глаза. Очень похожи. Только цвет ее глаз другой, зеленый. Но энергия общая, вероятно, родня. Женщина смотрит пристально, но дружелюбно. Ведущий не торопясь достает из конверта фотографию. В конверте фотография Сергея Есенина. Не сдал! Эта мысль буквально пронзила меня. Это мужчина. Травмы и их описание — стопроцентная идентичность, но это мужчина. Нет смысла объяснять ведущим, почему я решил, что это женщина, они не поймут.

Ведущий представляет даму. Светлана Петровна Есенина, племянница поэта. Я не вижу в ее взгляде ни малейшего разочарования, есть только глубокая заинтересованность, и я знаю почему. Я точно описал все травмы, и я сказал, что это убийство. Официальная версия не совпадает с моей.

Светлана Петровна протянула мне маленькую книжицу — Библию.

— Александр, только один вопрос. Вот прямо сейчас расскажите мне про этот предмет.

Камеры уже ничего не снимают, мы стоим за пределами съемочной площадки.

— Это Библия, которую подарила очень важная персона, имеющая большую власть, и Сергей Есенин, задавая какой-либо вопрос, искал ответ на страницах этой книги, открывая их наугад.

Взгляд женщины стал мягким и добрым. Она мне улыбнулась.

— Да, эту Библию подарила императрица, и Есенин действительно так делал. В нашей семье есть именно эта легенда, но кроме нашей семьи про это никто не знает.

Мы попрощались, но у меня осталось ощущение предстоящей встречи.

Испытания шли одно за другим. Какие-то мне давались легко, какие-то я проходил с трудом, но ни разу за все время экзаменов не случалось того, чтобы информация шла неверная, уводящая меня в сторону от истины. Я сам, сам лично делал ошибки, неправильно интерпретируя те или иные подсказки, а иногда и просто забывая про них. Все это было страшно досадно, досадно оттого, что я поторопился с выводами, оттого, что был слеп и не отреагировал, оттого, что порой шел на поводу у ведущих.

4.

О, как повезло моему поколению и всем тем, кто родился в эру доступной информации. В свое время мне не хватало именно этого. Я тратил драгоценное время на походы в библиотеки, стоял в очередях за книгами, с нетерпением ждал почтальона, который принесет мой любимый журнал «Наука и жизнь», а почтальон все не шел и не шел, и терпение мое было на пределе, но и радость была величайшая, когда я брал в руки пахнущий типографской краской новенький журнал. Мне так ее не хватало, информации об этом огромном мире. И вот наконец-то этот мир открылся. Открылся на мониторе компьютера. Открылся весь — и хороший, и плохой. Добро и зло — два в одном, и это изобретение, основанное на бинарном принципе, дает возможность не только получать информацию, но и делиться ею.

Я зашел на свою страничку на сайте «Одноклассники». До эфира у меня в «друзьях» было пятнадцать человек, все лично мне знакомые и проверенные. А что сейчас? Ого, сколько желающих «подружиться» со мной! Да, телевидение свое дело делает. Есть люди, которым я понравился. Это хорошо! Они мне помогут! Чем больше людей меня знает и переживает за меня, тем я сильнее. Недооценивать эмоции людей никак нельзя. Это единственная сила, которая может изменить как мир в целом, так и мир отдельного человека, в данном случае — мой.

Сотни, тысячи писем раз за разом, эфир за эфиром накатывали на мою страничку в «Одноклассниках». Сначала я читал все подряд, потом понял: моей жизни не хватит на все. Надо довериться интуиции и выбирать письма, основываясь исключительно на своих ощущениях.

Письмо из Самары. Пишет молодая женщина. «Скажите мне дату вашего рождения, и я скажу вам, будет ли успешным ваше участие в проекте».

Интересно, я всегда внимательно относился к датам рождения. Еще при прохождении практики в медицинском училище я обратил внимание на то, что в определенное время в больнице собираются люди с определенными датами рождения, как будто у всех у них одновременно снизился иммунитет. А на практике в травмопункте я заметил, что в некоторые дни количество переломов резко возрастает, причем это не связано с погодными условиями, гололедом и прочими стихийными бедствиями. Вдруг, на ровном месте, люди начинают падать. Ну что ж, отправлю я ей свои координаты, посмотрим, что скажет эта девушка из Самары. Судя по фотографии, интуиции ей не занимать.

Ответ пришел минут через сорок. Текст короткий, слова с ошибками, но суть ясна — у меня есть большой шанс на победу, и моя краткая характеристика, процентов на пятьдесят совпадающая с моей реальной, — тоже неплохо. Что за система? Фэншуй. Ну что же, почитаю про эту китайскую науку. В памяти вдруг неожиданно всплыл образ того старика, который вручил мне жезл, инкрустированный драгоценными камнями. Я уже и забыл про этот сон, но мысли о Китае, о восточной мудрости внезапно отбросили меня на десять лет назад, в декабрь 1998 года. Я опять вспомнил эти синие-пресиние глаза с монгольским прищуром и руку, протягивающую жезл.

Я на целый день погрузился в китайские иероглифы, нашел какой-то календарь. Сегодняшний день был обозначен как день металлического дракона. Вчитываясь в непонятные слова, я поймал себя на мысли о том, что все это мне знакомо, знакомо настолько, как будто я все это уже читал и понимал. Я посмотрел на свою руку — она отсвечивала фиолетовым спектром. Что там говорит фэншуй по этому поводу? Я родился в год металлической крысы. Интересно. Я всегда это знал, где-то раньше читал, но никогда серьезно к этому не относился. Металл. Цвет металла — белый, серый, розовый, сиреневый, фиолетовый, бордо. Направление в природе — запад. Вот тебе на! Как они это узнали? Я, как слепой котенок, выстраивал свою Систему, а она, оказывается, уже существует! Я, нахлебавшись выше крыши на востоке, при перемещении на запад от места рождения стал более успешным. Я военный и всю жизнь в погонах — и все это энергия металла. Опять все придумали до меня…

Досады не было, было ощущение того, что я нашел что-то сверхважное, просто суперважное для себя.

Я понял, что это и есть Система! Ведь недаром же я обращал внимание на даты рождения пациентов, попавших на прием к травматологу, или одинаковые даты людей, страдающих шизофренией, или нарушения в опорно-двигательном аппарате людей, рожденных в конкретный период или год. Я неплохо вычислил для себя периоды успехов и неудач, но это все было достигнуто эмпирическим путем, методом проб и ошибок и личных наблюдений за собой и окружающими людьми.

Я с головой ушел в изучение этой науки, я перелопатил огромное количество материала и все время сравнивал с таблицами даты рождения тех или иных известных людей. Но, к великому своему разочарованию, я понял, что китайская система работает крайне избирательно: кого-то она описывает просто с точностью до восьмидесяти процентов, а для другого, с такой же датой, — дает стопроцентный сбой. Точность возрастала по мере приближения места рождения изучаемой личности к центральному Китаю, а с удалением от центрального Китая точность падала в геометрической прогрессии. Стопроцентного же попадания не было никогда.

Я вернулся к своим ощущениям. Каждый день мне всегда представлялся в определенных цветах и — это было самое главное мое открытие — мои цвета совпадали с цветом дня в китайском календаре. И свечение многих людей совпадало с китайским календарем. Но в памяти у меня была картинка из самолета, где основная масса людей имела оранжевый спектр — тогда, помнится, я сделал вывод, что с удалением от поверхности земли основная масса людей приобретает оранжевый оттенок в своем спектре. Что это? Наведенный свет? Жаль, что мне еще не скоро лететь, а проверить хочется прямо сейчас. Обычно после испытания у меня всегда был свободный день, и я решил, что найду в Москве высотное здание со свободным доступом и проверю свою гипотезу хотя бы на этой высоте.

Девушка из Самары дала мне ряд рекомендаций по поводу цветовой гаммы в моей одежде. Вот здесь надо ей сказать отдельное спасибо. Я никак не мог дойти до магазина, чтобы подобрать себе одежду разных цветов, я все время ходил в «своих» металлических оттенках и понимал, что периодически эти цвета делали меня крайне неприятным для восприятия. Один цвет во время испытаний я исключил полностью — это был коричневый цвет. Влияние этого цвета я понял достаточно давно. Он лишал меня возможности принимать правильные решения.

Еще в юности, изучая историю, я обратил внимание на то, что люди периодически делают своими символами те или иные цвета. Наша страна была поделена на «белых» и «красных». В мире народ использовал все цвета радуги. И каждому цвету приписывали какие-то свойства. Чаще всего выдуманные, но иногда попадающие точно в цель.

Коричневый цвет был выбран фашистскими лидерами неслучайно — цвет остановки, цвет неподвижности, цвет догмы. Тем, кто выбрал такой цвет, тем, кто облачил в него своих последователей и внушил им, что именно этот цвет является символом, объединяющим в стремлении к мировому господству, отчасти надо отдать должное. Почему отчасти? Да потому, что на первоначальном этапе, выбирая этот цвет, они были правы. Этот цвет, как никакой другой, способствовал лишению критики, интуиции, способности слышать не только слова, но и чувствовать скрытый смысл поступков и деяний лидеров. А вот потом, под воздействием того же самого спектра, и интуиция правителей дала сбой. Сбой, который разрушил всю эту систему. Исходя из этого и еще из многих и многих факторов (о них я расскажу по мере повествования), я сделал вывод, что у нацистов, которые на весьма серьезном уровне занимались эзотерикой, серьезных эзотериков как раз-то и не было. И слава Богу!

Я не люблю ходить по магазинам без цели, а здесь была конкретная цель: мне требовалась одежда определенных цветов для того, чтобы менять ее в соответствии с цветом энергетики дня. Я выбрал ближайший большой магазин, расположенный на западе Москвы. Запад любого города мира —

это моя территория, там мне помогут, подскажут и будут улыбаться. Собственно, так и произошло: мне помогли все подобрать и даже дали скидку, потому что я купил семь сорочек и два свитера, и, кроме того, одна девушка-продавщица меня узнала и попросила автограф!

В своей жизни я подписал миллион документов, никак не меньше. Работая на таможне, на оформлении, в смену я ставил свою подпись сотню раз, и это был не автограф — это была колоссальная ответственность за свои действия, и прежде, чем я ставил подпись, в голове в ускоренном режиме срабатывала внутренняя инспекция. Таможня отправления, таможня назначения, маршрут, код товара, номер транспортного средства, инвойс и множество других параметров, необходимость соблюдения которых строго регламентирована, и за каждую цифру ты несешь персональную ответственность, заверяя ее своей подписью и личной номерной печатью.

А здесь было все просто. Улыбка и просьба: «А можно автограф?» Конечно, можно! С большим удовольствием и с пожеланием всего наилучшего! Жаль, что на таможне нельзя было приписывать эти слова: «С наилучшими пожеланиями, Александр Литвин!»

Я поймал себя на мысли, что на этой небольшой автограф-сессии я впервые вспомнил о работе. События последнего времени настолько далеко спрятали эти воспоминания, что только автоматическое выполнение такой функции, как роспись на листе бумаге, вернула меня к воспоминаниям о работе, которой я занимался много лет и, уж поверьте, любил ее. Эта мысль потянула за собой следующую. А что, если выполнение какого-либо ритуала, какого-либо механического действия поможет мне при сдаче очередного экзамена?

Я подписал протянутый мне листок бумаги и в ту же минуту погрузился в прошлое. Даже номер личной номерной печати всплыл в моей памяти. Я пока не понимал, как смогу использовать это «включение» через физические движения тела, но то, что это надо использовать, я запомнил. И случай представился достаточно быстро.

5.

Очередное испытание. Время мое, вечер. Гример Оксана на месте, опять традиционный Андреевский крест маховой кистью по всей физиономии — и я глохну и слепну. Все-таки уникальная энергетика у этой девушки. Она и сама не знает, как много делает для меня.

Выхожу на площадку, под софиты и камеры. Стол. За столом сидит молодая женщина. Еще до объявления задания я почувствовал ее горе. Я знаю эту эмоцию, этот запах, я знаю это состояние. Это и мое состояние, и мой личный опыт. Это потеря близкого, родного человека. Мне дают телефон. В нем фотография девочки лет четырнадцати-пятнадцати. Я должен рассказать про нее все, что знаю.

Я уже знаю, что девочки нет, — тоска ее матери накрыла меня с первых секунд. Фотография в телефоне. Энергия отличается от простой фотографии. На простой фотографии мы видим отраженные лучи, а электронная — сама генерирует фотоны света, и не всегда эта генерация совпадает с отраженными лучами. Мне нужно запомнить ее образ. Чтобы дать правильный ответ, нужно задать правильный вопрос. «Могу я узнать имя девочки?» Убитая горем мать называет имя. Я всматриваюсь в фотографию. Я смотрю пристально. Я смотрю так пристально для того, чтобы в момент, когда я закрою глаза, ее изображение отразилось на сетчатке моих глаз и я смог бы задать вопрос в отношении конкретного человека с конкретным именем и с конкретным обликом.

Совершенно неожиданно в моей голове возникает образ какого-то предмета, похожего то ли на папаху, то ли на мужскую шапку, внутри которой лежат скрученные полоски бересты — такие трубочки я в детстве использовал в качестве поплавков для сетей, которые вязал мой отец: берестяную полоску бросаешь в кипяток, и она сворачивается в трубочку.

У меня не было вопросов, почему шапка, почему береста — память на мгновение отбросила

меня во вчерашний день: физическое движение тела как способ активизировать интуицию. Достаю одну из полосок, представляю ее в своих руках и, не открывая глаз, начинаю разворачивать. Физически разворачивать, руками. Пусто. Следующую — пусто. Следующую — пусто. Следующую — есть! Я вижу текст, прощальный текст и понимаю в одно мгновение: это самоубийство. И последующее величайшее сожаление о содеянном.

Эту девочку никто не понял. Она уже стала взрослой, но ее никто не понял. В детском теле была уже взрослая энергия, со своими сформировавшимися взглядами, со своей оценкой этой жизни, которая не совпадала с мировоззрением мамы, не разглядевшей свою взрослую дочь. Мать убита горем, и хватит ли у меня выдержки не указывать ей на ее ошибку и объяснять почему? Пожалуй, озвучу только сам факт смерти и ни слова больше. Очень тяжело и жалко всех. И больше всего — эту девочку, для которой испытания только начались.

Экзамен сдан. Удовлетворения от успеха никакого. Очень жесткое испытание, с настоящей подлинной эмоцией невозвратной потери. Из положительного отмечаю новый для себя способ активизации интуиции посредством простых физических движений. И только сейчас возникает вопрос: почему береста? Из каких таких задворок моего

подсознания я вытащил именно этот древний материал для сообщений, этот древний артефакт? Я до сих пор не знаю ответа. Потом я «вытаскивал» свернутые в трубочку обычные тетрадные листы, в другой раз вместо бумаги мне попались квадратные кусочки хорошо выделанной кожи, и я видел либо текст, либо какое-то изображение на них. В письмах от зрителей все чаще появлялся вопрос: что я делаю руками, когда прохожу испытания, может быть, тяну какую-то волшебную нить? Нет, это была не нить, я разворачивал свернутые трубочки с информацией.

Интересно получается, пришел сдавать экзамены, а на самом деле — учусь. Учусь экстерном, по ходу сессии. Всему свое место и время. Сейчас это время мое, и все, что было до этого момента, сконцентрировалось до точки. Все мои мысли были направлены на победу, но, как оказалось, я еще многого не знаю. И все же мне перестали сниться сны об экзаменах, а это значит, что я на правильном пути и надо продолжать учиться.

6.

Я ехал в метро из центра Москвы и уже традиционно сидел с блаженной улыбкой, благодаря всех знакомых и незнакомых мне людей за поддержку. Вдруг поезд дернулся, и какой-то неуклюжий пассажир в дурацкой

шапочке всем своим весом обрушился на меня, вернув в объективную реальность, которая заключалась в сильнейшей боли в районе стопы, придавленной сапогом сорок пятого размера на толстой рифленой подошве. Мужчина был настолько неуклюж, что, подняв свою ногу, немедленно переставил ее на изящный сапожок сидевшей рядом девушки. Я посмотрел на свою обувь. «Где он нашел в Москве столько чернозема?!» Да, вид у меня явно непрезентабельный, а я ж без пяти минут звезда!

Вот еще одна издержка популярности — надо выглядеть аккуратным в одежде. Не то чтобы я раньше был неряхой, совсем нет, но сейчас на меня стали очень часто обращать внимание, и я чувствовал бы себя комфортней, если бы на мне не было никаких особых изъянов. Я вышел на первой же остановке — надо купить салфетки и обувной крем в компактной упаковке, который пригодится вот в таких непредвиденных обстоятельствах.

Я шел и думал про этого мужчину. Для чего же ты мне ногу оттоптал? Я не туда иду? Я что-то не то делаю? Сканировать прошлое бессмысленно, так как ошибка могла быть совершена лет тридцать назад, а не сейчас. Ладно, будет видно.

Остановка, на которой я вышел, оказалась как нельзя более подходящей для моих целей. Я вышел из метро прямо к рынку «Лужники». Огромная толпа народа несла меня к торговым рядам, конная милиция с высоты, с очень важным видом наблюдала за этим человеческим потоком, который двигался во всех возможных направлениях. Я шел, стараясь быть в этой общей массе, в потоке, избегая столкновения со встречными людьми.

Взгляд. Я его не увидел и даже не поймал боковым зрением, я его почувствовал и остановился. Остановился так резко, что идущие сзади не успели отреагировать и активно навалились на меня. Развернувшись левым плечом к людскому потоку, я увидел точно такое же завихрение в том месте, откуда меня остановил чей-то взгляд. Светлана Петровна Есенина. Она энергично двигалась в мою сторону и улыбалась так радостно, как будто мы с ней сто лет знакомы. Ловко маневрируя, эта маленькая хрупкая женщина стремительно приближалась ко мне. Люди поняли, что ей очень надо, и расступились.

— Александр! Я ищу вас целый месяц! На телевидении мне почему-то не дали вашего телефона, обещали, но так и не перезвонили. И все это время я вас ищу, ну надо же!

Я улыбнулся ей в ответ.

— Да уж, Светлана Петровна, если надо, то тебе и мужик все ноги оттопчет!

Светлана Петровна удивленно вскинула брови:

— Какой мужик?

— Тот, который мне в метро умудрился наступить на ногу и из-за которого я вот здесь, на этом рынке, между прочим, впервые в жизни! А оказывается, я сюда не за кремом для обуви пришел, а для того, чтобы с вами встретиться!

Я вдруг вспомнил тот случай, когда на остановке в Люберцах встретил своего сослуживца, которого не видел более двадцати лет. Тогда я пришел на встречу интуитивно, а сейчас меня привели.

— А вы здесь часто бываете, Светлана Петровна?

— Нет, что вы, года три уж точно не была!

Ну вот, теперь мне все понятно. Она хотела встретиться. Она сильно этого хотела!

Мы обменялись телефонами, договорились созвониться и отправились каждый по своим делам. Она — в свой музей, которым заведовала; а я — за салфетками и кремом, совершенно счастливый от осознания того, что неуклюжий мужик в данном конкретном случае не признак каких-то моих неправильных действий в прошлом, а инструмент мироздания, перенаправивший меня для встречи в конкретную точку с конкретным человеком. Интересно, он там еще девушке на ногу наступил, ее-то этот «инструмент» куда отправил? Она-то точно его послала. Я слыхал.

7.

Дома никого: Альберт в университете, Евгений на работе. К ужину есть все необходимые продукты, а значит, есть время на проверку почты.

Опять множество сообщений, но внимание зацепило одно. Девушка пишет, что подходила ко мне после какого-то испытания. Да, подходила, вспомнил ее. Округлое лицо, средней длины светлые волосы, большие голубые глаза. Помню, сказал, чтобы нашла меня в соцсетях. Нашла. Она пятнадцать лет в браке, детей нет, с мужем любят друг друга. Смогу ли ей помочь? Ответ пришел раньше, чем я задал себе вопрос. Смогу. Знаю точно, смогу. Уверен в этом!

Был поздний вечер, мы сидели в каком-то кафе. Я смотрел на эту молодую женщину, пытаясь понять причину тревоги. С точки зрения медицины я не видел каких-то проблем. Но какое внутреннее напряжение! Спазм! Она сжата до состояния гранита, а ей бы быть плодородной почвой. Надо смотреть родню. Мама, папа, когда родились… Так, мама мне не нравится. Умна, расчетлива — ей только двадцать, а она уже думает о старости, кто ей стакан воды подаст.

Она и дочь все время вместе, постоянно рядом. Дочка в няньках уже лет с двенадцати. Шустрая девочка, постоянно находящаяся в состоянии жертвы. Очень энергична во внешнем мире, но, возвращаясь домой, каждый раз становится всем должна и прежде всего — собственной маме.

Мама, конечно, декларирует свою искреннюю озабоченность тем, что нет внуков, но боязнь остаться без опеки дочери, без стакана воды заставляет ее практически на уровне безусловного рефлекса делать дочь виноватой. А та, похоже, уже свыклась с этой ролью. Перманентное состояние вины серьезно снизило ее женский потенциал.

Так, посмотрим, что может быть у мамы в плане здоровья. Через год-полтора будет проблема с сосудами. Не прозевать этот момент, когда будет под угрозой, а пока надо готовить эту девушку к беременности. Для начала надо дать ей волю и усилить критичность, способность преодолевать свой страх и говорить «нет», еще не выслушав оппонента. Ей будет сложно, будет сложно с людьми и мамой, но это временное явление.

Так. Чтобы она поверила, мне нужно сделать нечто удивительное на физическом уровне, на осязаемом. Между нами стол, прошу ее положить на него руки ладонями вверх и закрыть глаза. Сейчас мне понадобится все мое воображение и знание анатомии. Я перестаю дышать. Мне нужна легкая гипоксия, и в этом состоянии важно четко представить строение ее внутренних органов. Опыт в этом деле у меня достаточный, практика в хирургическом отделении даром не прошла.

Мне нужно увидеть ее солнечное сплетение. Увидеть в своей голове настолько реально, насколько это возможно. А потом просто сжать его. Нужен просто импульс. Она женщина и, скорее всего, ни разу в жизни не получала удар в эту область, но сейчас нужен легкий шок. Только после этого она мне поверит, а там уж сам организм начнет работать в автономном режиме, вырабатывая и усваивая все необходимые для беременности вещества.

Ее вскрик вернул меня в реальность. Девушка сидела бледная, прижав руки к животу.

— Что это было? — в глазах был одновременно и испуг, и восторг.

— Я немного тебя подстроил. Извини, это не всегда приятно, а предупреждать нельзя, эффекта не будет.

Она не поняла, о каком эффекте я говорю, она решила, что о болевом.

— Все хорошо, родишь. Годик или чуть больше. Подожди.

Она ушла, и я знал, что она родит ребенка.

Примерно через год я написал ей письмо, в котором сообщил, что ее маму нужно срочно показать сосудистому хирургу. Хирург выявил тромб и отправил женщину на экстренную операцию. Вся ее сила теперь была сконцентрирована на собственной регенерации. А дочка в это время забеременела. Она родила девочку, которую я увидел уже двухлетней, когда они приехали ко мне в офис. Очень энергичная, подвижная девочка, похожая на свою маму.

Кто я? Кто через мои знания и интуицию исправил ситуацию, выстроив людей, как шахматные фигуры на доске, и разыграв такую блестящую комбинацию, в которой я был практически ферзем, имея знания и, соответственно, максимальную свободу? Но ведь это не конечный путь моей работы. Я прекрасно понимал, что все это промежуточные турниры и мне понадобится время, чтобы подойти к главной партии в своей жизни.

8.

Светлана Петровна позвонила мне рано утром. «Саша, здравствуйте, будет ли у вас время встретиться со мной? У меня очень много вопросов, которые касаются Сергея Есенина». Я не мог ей отказать. Она была мне симпатична своим прямым взглядом, своим орлиным профилем, даже своим хриплым голосом. И еще она была очень честным человеком.

Я купил торт и отправился в гости к племяннице Сергея Есенина — русского поэта, русской легенды, множество стихов которого я знаю наизусть. Нет, кумиров у меня нет, Бог миловал, но уважение к этому человеку было и есть огромное. Талант его достоин уважения.

Светлана Петровна жила на Комсомольском проспекте. Обычный московский дом, я быстро нашел его и позвонил в домофон. «Да, да, открываю», — раздался ее хрипловатый голос. Запищал зуммер, и дверь подъезда открылась. Я поднялся на лифте и вошел в квартиру.

Обычная, совершенно обычная квартира, но энергетика ее была необычной — в доме было уютно, прямо с порога. Светлана Петровна предложила мне тапочки, а шикарный огромный кот потерся о мою ногу. Я люблю только своих котов, к чужим отношусь с недоверием, но этот кот был такой же уютный, как и квартира. Он был частью этого уюта, и, как я его понял, он не был против моего визита.

Из комнаты в прихожую вышла симпатичная девушка.

— Саша, — она протянула мне руку.

— Это моя внучка. Она здесь у нас главная!

Ну, я-то понимаю, кто здесь главный. Саша просто любимая, а главная — она, Светлана Петровна Есенина. Своих я чувствую за версту. У этой женщины потрясающая интуиция и характер железный. Она все делает искренне: и любит, и ненавидит. Обмануть ее мало кому удавалось, и сама она никого не обманывала. Все эти мысли возникли спонтанно, по ходу моего перемещения на кухню.

Мы расположились в уютной кухне и закурили. Курили «Приму», ту самую «Приму», которая когда-то стоила четырнадцать копеек за пачку. Интересно, где она их берет, эти сигареты из прошлого, неужели их еще выпускают? Она как будто прочитала мои мысли. «Я другие сигареты не курю, кашляю. Хорошо, что эти еще есть в продаже, но уже далеко не в каждом магазине. Пробовала бросать, не получается».

— Саша, — она внимательно посмотрела мне в глаза, — я тебе скажу так: ты не обижайся, то, что ты там показал, это было все правильно, но все же я должна быть уверена. У меня к тебе еще пара вопросов есть.

Она вышла из кухни и быстро вернулась. В руках у нее был альбом с фотографиями и шкатулка. Она поставила на стол шкатулку.

— Вот, видишь этот предмет? Что скажешь?

Шкатулка представляла собой произведение искусства. Изящная резьба, утонченный орнамент, вещь хрупкая, нежная и, вероятно, дорогая. Да, в таких только украшения хранить, подумал я, но это была логика, не мой вариант. А мой вариант был простой. То ли хозяйка читалась как открытая книга — она, по сути, таковой и была, то ли день располагал к интуитивным озарениям, но я, ничуть не задумываясь, сказал, что при всей ее внешней красоте роль у шкатулки довольна простая: там хранился табак. Светлана Петровна была явно довольна!

— Да, Сергей Александрович использовал этот дорогой предмет как табакерку! Теперь второй вопрос. Он, возможно, более сложный.

Светлана Петровна достала из альбома две фотографии. Фотографии были сделаны сотрудником милиции в день смерти Есенина в номере гостиницы «Англетер», что в Санкт-Петербурге. Раньше мне эти фотографии не попадались, хотя, может быть, еще и потому, что я никогда не вникал в обстоятельства гибели поэта.

— Дело в следующем. Одна фотография отражает правильную картину, а вторая — зеркальная. Зеркальная фотография была размещена в газетах того времени, но мне в результате исследований удалось разобраться в этом вопросе. Попробуй теперь ты определить.

Я положил фотографии на стол изображением вниз. Здесь — как в институте. Ищу билет, на который знаю ответ. Моя задача — поймать изменение в ощущениях, эту тонкую вибрацию, еле уловимое дуновение, и уловимое даже не рукой, а разумом. Да — нет, да — нет. Я выбрал фотографию, которая дала ответ.

Светлана Петровна была счастлива. Она искренне была рада тому, что я справился со всеми ее заданиями. Но чего же она от меня хочет? Ведь не ради этой табакерки и фотографий она меня пригласила.

— Саша, а знаешь, как я определила то, что в газетах зеркальный снимок? Вот смотри, видишь вешалку в углу номера?

— Вижу.

— Обрати внимание на пальто. Что скажешь?

— Пальто как пальто. Толстое, зимнее, на ватине. Надо полагать, что очень теплое и тяжелое.

— Это мужское пальто. — Светлана Петровна пристально посмотрела мне в глаза.

— Вижу, что мужское, и что?

— Мужское пальто всегда застегивается справа налево, и пуговицы у него пришиты на левой стороне.

Теперь мне все стало понятно. На зеркальном снимке пуговицы были пришиты на «женскую» сторону.

— Вы детектив!

— Да уж, станешь им, пожалуй, столько нестыковок. Ты там, на съемке, все очень правильно описал и ошибся только с полом. И еще ты сказал, что это убийство.

— Да, я и сейчас могу сказать: это убийство. И инсценировка самоубийства. А кроме всего прочего, я полагаю, имел место грабеж.

Светлана Петровна налила мне чаю и присела напротив.

— Я очень хочу исправить ошибку. Это несправедливо, считать поэта самоубийцей. Люди должны знать правду!

— Но как я могу вам в этом помочь?

— Понимаешь, Саша, вот ты так уверенно все сказал и сейчас так уверенно все определил, ты мне дал силы для продолжения. Есть еще одно задание для тебя, но нам надо будет с тобой сходить на Ваганьковское, на могилу Сергея Александровича. Ты там сам все поймешь!

Заинтриговать меня очень легко. Ей достаточно было сказать, что я сам все пойму. Ох, как же она чувствует людей!

Светлана Петровна закашлялась.

— Бронхит одолевает… Как осень — так бронхит. Да и сигареты эти еще.

— Светлана Петровна, я вам настоятельно рекомендую проверить легкие. Не нравится мне ваш кашель.

— Что ты, Саша, я уж лет двадцать кашляю…

Мы договорились о встрече, и по дороге домой я думал не о Есенине, а о том, что кашель этот — признак грозной болезни, которая даст летальный исход. Надо успеть выполнить просьбу и съездить с ней на Ваганьковское.

9.

Звонок из офиса съемочной группы. Завтра в десять ноль-ноль, метро «Коньково», центр зала. Вроде бы и ждешь, а всегда неожиданно.

Я за все время экзаменов ни разу не заказывал сон. Как-то закрутился и забыл об этом способе получения информации. Забыл потому, что практически не спал. До четырех утра я отвечал на письма, а в восемь уже подъем — парни мои вставали в это время, и мне надо было приготовить им какой-то завтрак и проводить.

Спал я крайне мало. При этом мое физическое состояние было идеальным. Я не уставал, я совершенно не уставал, и этих четырех часов сна мне было более чем достаточно, но они были без сновидений. В армии есть такая шутка: по команде «отбой» глаза закрываются одновременно и со щелчком открываются. Вот и со мной так было: щелк — и уже подъем. И что снилось — не помню.

Я решил, что все-таки надо попробовать что-то увидеть во сне. По крайней мере, попытаться. К тому же день был подходящий: гравитация, по моим ощущениям, несколько снижена, а влажность воздуха высокая, остается только отрегулировать температуру воздуха в квартире. Это несложно, уже осень, и ночи прохладные. Сыновьям объяснил, что сегодня будем спать при низкой температуре. Альберт улыбнулся: «Что, сны смотреть будем?» Да, будем. Надо использовать все, что я умею. Ритуал привычный: окно нараспашку, душ и воспоминания. Я слушал шум воды, и память постепенно уносила меня в летний дождь.

Июнь. Мне лет десять-одиннадцать. Дождь идет уже вторую неделю, он несильный, монотонный, и кажется, что никогда не кончится. Уже две недели каникул, а дождь все идет и идет. Какая досада, я ведь хотел с другом Серегой на лодке уплыть вверх по реке. Сереге подарили новую лодку, складную, дюралевую. Нам не терпелось ее опробовать, и вот этот дождь. Зато под него хорошо читать, никто не мешает, родители на работе, огород поливать не надо, хоть в этом повезло. Дождь.

Проснулся посреди ночи. Сон... что-то было... Что было? Вспомнил лишь одно мгновение: парящие в воздухе круглые золотые часы с римскими цифрами на циферблате. Они просто висели в воздухе.

Второй раз я проснулся в восемь утра, накормил парней, надел голубую, в цвет энергии дня, рубаху и поехал в Коньково. По дороге опять загнал себя в состояние максимального счастья.

Вот и центр зала. Теперь главное — скорее выйти на поверхность: мне нужно не меньше часа на то, чтобы убрать энергию подземелья, глушащую мою интуицию. Не могу сказать, что она уж очень сильно мне мешает, но это экзамен, и желательно устранить все риски.

Съемочный процесс, как, впрочем, и всегда, затянулся, однако не настолько, чтобы выйти на мои природные рубежи. Середина дня, солнце очень высоко, а мне нужна ночь. Ночь для меня — лучшее время для правильных вопросов и правильных ответов.

Ко мне подходит незнакомая худенькая невысокая девушка. По радиостанции, закрепленной на ремне, я понимаю, что она из съемочной группы. В руках у нее какая-то акварельная кисточка и тюбик.

— Александр, давайте я вас немного подгримирую, чтобы вы не блестели в кадре.

— Стоп, стоп, барышня, а где Оксана?

— Оксаны сегодня не будет, у нее ребенок приболел.

Ну вот, началось. Не мой денек. Ну да ладно. Иду на площадку.

На площадке в ряд сидят люди, человек двадцать, мужчины и женщины. Вопрос простой: что их объединяет? Особо разглядывать их нельзя, логика даст о себе знать, да и времени у меня немного. Закрыл глаза. Темно, темно, но вот начинается какое-то движение. Темнота вращается, светлеет и начинает быть похожей на пятно бензина в воде, переливаясь всеми цветами радуги. Вдруг появляются цифры, они просто двигаются в пространстве в одном направлении, слева направо белые на черном фоне, они плывут одна за другой и все. Я открываю глаза. Я говорю: «Их объединяют цифры».

И все, мне бы замолчать и больше ни единого слова! Но ведущему этого мало, он настаивает на подробностях, и враг мой, логика, уводит меня далеко от правильного ответа. Цифры — может, они бухгалтеры? Ведущий торжественно и с нескрываемым удовольствием объявляет: «Эти люди родились в один день!» Я тут же вспоминаю свой сон. Парящие в воздухе золотые часы с римскими цифрами. Ох, какая досада. Какой же я бестолковый. Да, те цифры, которые я видел на съемочной площадке, и сон, который я забыл, в совокупности могли меня привести к правильному ответу.

Ну что же, опыт — ум дураков. Но вдруг понимание того, что меня не оставили без внимания и показали правильный ответ, уничтожило мою досаду, и настроение у меня опять стало хорошим. А желание было лишь одно: пусть ребенок у гримера Оксаны поскорей выздоравливает!

Мне надо к реке, к воде. Спрашиваю у руководителя съемочной группы, есть ли у меня время выехать за город. Завтра будут испытания? «Нет, завтра испытаний не будет, но вы должны быть готовы». Мне нужен один день, один световой день. «Один день у вас есть. Но только день!» Руководитель весьма серьезен. По возрасту он примерно как мой старший, Евгений. Пытается солидно выглядеть. Плохо, конечно, у него получается, но старается. Отлично, спасибо!

Дома сажусь за компьютер и печатаю в поисковике: «рыбалка в Подмосковье». Мне нужен природный водоем на западе от города, и еще одно условие — в нем должна быть рыба. Поисковик выдает множество ответов, выбираю по карте ближайший — Истринское водохранилище, и захожу на форум выяснить по отзывам, есть ли там рыба. Рыба есть.

В семь часов утра я вышел из квартиры — навстречу соседка. Хороший знак. С собой у меня сумка, а в ней теплая подстежка к куртке, бутерброды, вода и навигатор, который я привез с собой в Москву с Урала. Сначала на электричке, а потом на автобусе я добрался до берега водохранилища. Полтора часа ушло на дорогу, но скучно мне не было, я еще ни разу не ездил в этом направлении и поэтому с удовольствием смотрел в окно.

Был тихий будний день, берега озера были пустынны. Осеннее синее небо и спокойная гладь озера, в отсутствие ветра представлявшая собой идеально ровную поверхность, на которой периодически возникали круги от играющей рыбы. Я умыл руки и лицо в холодной и прозрачной воде. Да, хорошо, что никого нет, а то выглядеть сейчас я буду довольно странно. Я достал из сумки подстежку, расстелил ее на сухой траве и уселся, положив руки на колени. Ладони мои были обращены к небу. Буду сидеть два часа, и все два часа буду представлять, что я сдал экзамен, и все два часа буду благодарить за помощь и поддержку.

Они пролетели незаметно, два часа на берегу озера. Два часа наедине со своими мыслями и природой. Бутерброды я съел уже на обратном пути, в электричке, а там, на берегу, я напрочь забыл про них, потому что состояние мое было удивительным. Так было в детстве, когда в степи, ровной как стол, находишь небольшой бугорок, ложишься на него и смотришь в небо, и кроме неба ничегошеньки не видишь, а за спиной у тебя вся огромная земля, она помешается только на твоих лопатках. Невероятное ощущение земли за спиной и огромного пространства впереди! Мне очень важно было это вспомнить.

В ту ночь впервые со мной случилось нечто необъяснимое. Дети уже спали. Я, надышавшись свежим воздухом, решил тоже лечь пораньше. Ложе мое было непритязательным — надувной матрац. Для кого-то это обычный предмет обихода, по необходимости извлекаемый с антресолей в случае приезда гостей, но для меня это было рабочее место, место моих лучших сновидений. Я подозреваю, что воздушная прослойка между мной и планетой отчасти способствовала хорошему сигналу.

Впервые я заметил этот эффект на рыбалке, когда поздно вечером приехал на озеро, поставил палатку, накачал матрац и лег вздремнуть в ожидании рассвета. Я увидел сон, в котором смог запомнить огромное количество деталей, и утром решил, что это, вероятно, сказалась близость природы, прохладный и влажный воздух. Сон принес информацию, которая не нуждалась в интерпретации: события, которые я видел во сне, вскоре произошли в реальном времени, практически без искажений. Во сне я увидел бурю, которая разыгралась над озером. Ветер поднял высоченную волну, палатки рыбаков взлетали в воздух и даже тяжелые резиновые лодки парили высоко в небе, как воздушные змеи…

Утро было безветренным, водная гладь была абсолютно неподвижной, и я, в предвкушении отличного клева, погреб в ближайший заливчик. Внезапно небо на западе потемнело. Я, хоть и был увлечен рыбалкой, все же заметил приближающуюся тучу и вспомнил свой сон. Быстро сложив снасти, я поднял якорь и, налегая на весла, направился к берегу. Рыбаков по пути было много, и я, проплывая мимо, кричал им, чтобы они выходили на берег. Я успел вовремя: собрал палатку и привязал лодку к машине. А потом началось.

Это была самая настоящая буря с ураганным ветром, как будто включился мощнейший вентилятор. Ветер не менял ни направления, ни своей силы — единый порыв длиной в десять минут. Я взглянул на озеро — оно стало каким-то необычным. Я не сразу сообразил, что вид его изменился из-за того, что трехметровый камыш придавило к воде. В воздухе крутились лодки, палатки, какие-то пакеты, и все это было мне знакомо — во сне происходило именно так. Отключился ветер как по команде, и наступила тишина. «Вот спасибо», — я проговорил эти слова вслух, обращаясь к небу.

Вот и сегодня, после поездки на Истринское водохранилище, набравшись энергии воды, я наверняка увижу что-нибудь помимо своей воли. Что-то важное и необходимое.

Я лег на спину и закрыл глаза. Сейчас посплю, а днем отвечу на все письма, если, конечно, не вызовут на очередное испытание. Но я так и не уснул. Я почувствовал легкую вибрацию. «Машина, что ли, под окнами работает?» Нет, тишина. Вибрирую — я. Странно. Вибрация усилилась. Вдруг я стал невероятно легким и... взлетел. Я висел в воздухе примерно в полуметре над собственным телом. Я понимал, что могу подняться и выше, но откуда-то вдруг взявшийся страх за оставленное тело не позволил мне этого сделать. Так продолжалось минуты три-четыре. Дети спали, фонарь за окном хорошо освещал комнату, и я видел все: и часы, и детей, и собственное тело. Я решил, что надо бы вернуться, и плавно опустился. Вибрация прошла.

Я встал и налил себе чашку холодного чая. Вот такого я точно никогда не испытывал. Что это было? Психика иногда может дать парадоксальные реакции, но то, что это не сон и не галлюцинация, я был уверен. Хотя как можно быть уверенным в том, чего не видели другие. Я помню свои опыты с гипнотическим сном — человек, которого я гипнотизировал, не поверил, пока не услышал аудиозапись своего голоса а капелла в состоянии сна. Поставить видеонаблюдение за собой, что ли?

Сон как рукой сняло. Я включил ноутбук и погрузился в письма. Их становилось все больше и больше. Невероятное количество вопросов и историй, и в каждом письме просьба: «Помогите!» Невольно я вспомнил героя голливудского фильма. Но я же не Брюс Всемогущий. Хотя сейчас, за чтением всех этих писем, у меня складывалось именно такое ощущение.

Люди думают, что я могу все, у них есть надежда на это! Хотя я, как и все, создан по образу и подобию Творца — я это знаю, мне в это даже верить не надо, весь мой опыт говорит о том, что это так и есть. Но я знаю и то, что не всем могу помочь! Справедливость. Вот камень преткновения! Справедливость должна быть реализована — именно поэтому я не могу помочь всем!

Справедливость должна быть реализована. Не в отношении тех, кто в данный момент страдает здесь и сейчас, кто в этих многочисленных письмах спрашивает меня: «За что мне все это?!» Справедливость должна быть реализована в отношении тех, кто создал эту ситуацию в прошлом. Справедливость, растянутая во времени, по поколениям, пролонгированная и неотвратимая.

Справедливость — она как гравитация на Земле. Она нам мешает, но жить без нее — невозможно! Вот с этим я не могу бороться и не должен. Потому что справедливость всегда реализуется. Да, есть, с моей точки зрения, простые ситуации, когда можно человеку помочь, изменив его судьбу изменением направления движения в пространстве, или сменой работы, или даже сменой продуктов питания. В этом я могу помочь — найти свое место в жизни. Но если в роду есть неизрасходованная справедливость — здесь могу только дать рекомендации по смягчению ситуации, но исправить ее не смогу даже при всем моем желании.

Мы все друг для друга независимые и некоррумпированные судьи. Каждый наш современник — наш судья! Неважно, кто рядом с тобой: богатый или бедный, с властью или нет — учет наших эмоций ведется весьма строго, и в зачет идет исключительно справедливая оценка. Обстоятельства, которые могут приводить к заблуждению человека, оценку нам дающего, в самой оценке всегда учитываются, и только правда остается неизменной. Если мы не сделали ничего плохого с точки зрения тотальной справедливости, но между тем людям кажется, что именно мы виноваты в том или ином случае, никакой отрицательной реакции мироздания на их слова не будет, даже если слова были сказаны искренне. Человек может искренне заблуждаться, и эмоция его может быть искренней, но эта эмоция не будет иметь никакой роли в реализации справедливости. Она вообще не будет играть никакой роли по отношению к слушателю. А вот по отношению к говорящему есть вероятность обратной реакции — это уж в зависимости от огорчения слушателя. Насколько эмоционально сильно он будет страдать от неправды.

У нашей страны весьма сложная история, и она еще не закончена. И реализация справедливости еще не закончена. Уж очень было много войн и революций, что пришлись на наших предков и нас, уж очень многие не справились с властью, превысив все мыслимые ее пределы. Все устроено справедливо. И ответственность наша перед будущими поколениями настолько велика, что порой кому-то бывает лучше не иметь детей, чтобы не обрекать их на крайне тяжелое существование. А таких горестных писем — множество. В каждом письме — личная трагедия. Вариантов просто не счесть, но все они начинаются в прошлом.

10.

Я заметил, что теряю вес. Со мной опять что-то происходит. Пока это не очевидно по состоянию психики, но есть еще один признак, и он уже на физическом уровне.

Мне было лет двадцать пять, когда я, играя в волейбол, растянул связку голеностопного сустава — нога подвернулась во внешнюю сторону и связка вытянулась так, что пришлось обращаться за медицинской помощью. Хирург наложил мне лангету и сказал явиться на прием после того, как спадет отек. Хирург был мастером своего дела. Отек спал, но я обнаружил с внутренней стороны голеностопного сустава приличную шишку. На приеме хирург, показав на эту шишку, сказал: «Давай, выбирай время, будем оперировать, связка сама по себе не восстановится». Я отказался наотрез. Я тогда сказал доктору: «Ты знаешь, в этом мире возможно все, в том числе и устранение этой мелочи — ходить не мешает, эстетика, конечно не та, но это не главное».

Позже, при ежегодных медосмотрах, хирурги неоднократно предлагали операцию, но я стоял на своем. Шишка эта, конечно, мне мешала, особенно при длительных переходах — мне приходилось внимательно выбирать обувь, чтобы она не давила на эту область, но в целом это был незначительный дефект.

И вот как-то утром, натягивая носки, я с удивлением обнаружил, что шишки нет! Она исчезла!

— Женька, ты помнишь, у меня травма была и после нее шишка вылезла?

— Ну, помню, а что?

— Смотри, она исчезла.

Женя подошел, посмотрел на мою ногу.

— Да, действительно исчезла. Чудеса!

Я однажды уже менялся, после трансфузии крови, но здесь не было никакого переливания, не было вообще ничего, за исключением отсутствия нормальной продолжительности сна, бешеной работы интуиции и ежедневных эмоций всепоглощающего счастья из будущего. Как это трактовать? Может быть, я просто пошел по тому пути, по которому надо, и с меня сняты ограничения? Хотелось бы, чтобы это было именно так!

Звонок. Метро «Юго-Западная». Одиннадцать ноль-ноль. Одежда теплая, желательно захватить непромокаемую обувь; возможно, придется ходить по лесу.

Лес не моя стихия. Энергия растительного мира, хорошо подходящая или хотя бы нейтральная для одних, для меня просто опасна. И поиск там будет затруднен. Если бы на том, самом первом испытании в ангаре, где я нашел человека в багажнике авто, были не машины, а, например, деревянные ящики, то маловероятно, что я справился бы. Но раньше времени огорчаться не буду. На месте разберемся.

Ровно в одиннадцать выхожу из метро. Грузимся в микроавтобус, окна которого заклеены непроницаемой пленкой. Едем на юг. Я достаточно неплохо ориентируюсь в пространстве и, хоть заклеивай окна, хоть нет, знаю, где юг, где север. Это знание, конечно, никаким образом мне не поможет, но на всякий случай фиксирую в памяти направление. По дороге стараюсь отключиться от внешнего мира. Сколько ехать — не знаю, но время терять не буду. Опять ухожу в себя, в свое состояние счастья из будущего.

Ехали часа полтора, скорость небольшая, пробки. Но вот наконец прибыли на место. Долго, очень долго шли испытания, меня все никак не вызывали. А и я рад: чем ближе к ночи — тем мне лучше.

Моя очередь подошла как раз в мое любимое время. Солнце за горизонтом. Ночь. Прохладно. Я стою у какого-то бетонного забора. Девушка из съемочной группы ведет меня к стоящему в глубине одноэтажному зданию. Пионерский лагерь? Очень похоже на пионерский лагерь. Подходим к зданию. Вывеска «Пансионат „Орбита“». Девушка прошла внутрь помещения, и через минуту вышла Оксана. В этом месте хочется поставить смайлик, но я пишу книгу. Я улыбаюсь ей как родной!

— Привет, Оксана, как твой малыш, выздоровел?

Она удивленно смотрит на меня.

— Да, все хорошо, а что?

— Да, все хорошо! Рад тебя видеть! Давай! Колдуй!

Оксана, конечно же, не поняла, что я имею в виду, но, как обычно, энергично взмахнула своей кистью… и все, внешние датчики как будто отключились. Открылась дверь, и по взмаху руки я пошел на съемочную площадку.

Большой коридор. Запах, который мне хорошо знаком. Так может пахнуть только медицинское учреждение. С пятнадцати лет я знаю этот запах. Ведущий объявляет задание. Почувствуйте, что здесь произошло. Закрываю глаза. Картинка появляется стремительно. Багровые полосы по линолеуму. Кровь. Открываю глаза, двигаюсь дальше. Стол, стул, кабинет. Опять закрываю глаза. Пытаюсь вытащить информацию из какой-то банки. Пусто, пусто, вот — есть. Женское лицо, молодое, совсем молодое. Ох, какое нехорошее ощущение опасности. Где-то я уже его испытывал. Вспоминай! Цепляю в памяти свой страх еще раз. Вспомнил. Практика в психбольнице в Троицке. Толстые стены, здание бывшей тюрьмы. Мое дежурство. Больной ходит по коридору, все время повторяя: «Я русский и татарин, я русский и татарин». Он подходит к одному углу и крестится, подходит к другому и молится на арабском. «Я русский и татарин». И безумный, нечеловеческий взгляд и мой страх. Я все вспомнил.

Похоже, девушка убита душевнобольным. Холод по спине, очень холодно. Я себе верю. Смотрю, смотрю в эту черноту, картинка опять внезапная. Здесь, прямо под моими ногами, то место, где он ее убивал. Открываю глаза.

Передо мной женщина средних лет. Мама девушки. Ох, опять эта неизбывная тоска. Говорю все, что видел. Преступник пока не задержан. Многое на камеру говорить нельзя: скорее всего, он отслеживает информацию о себе. Экзамен я сдал, но оперативные сотрудники хотят со мной поговорить. Без свидетелей. Мы уходим в соседнее помещение. Парни молодые, с некоторым изумлением на меня смотрят, но в их взгляде больше надежды на мою помощь. «Вы его поймаете, я это знаю, за ним еще труп и, скорее всего, будет еще попытка. Он психически больной».

Я закрываю глаза. Мне нужны детали, и это уже не испытание, это серьезная работа, которая должна быть сделана на отлично. Картинка мелькнула стремительно, но я ее зацепил. Свиные туши на крюках двигаются по конвейеру. Кафельные стены, металл.

— Скажите, здесь рядом есть какой-нибудь цех по убою скота? Достаточно современный, с конвейерной линией.

— Да, есть, буквально десять минут на машине.

— Ищите там, этот человек связан с комбинатом, он или работал там, или жил очень близко, но он связан с ним очень плотно.

Мне дали карту-километровку. Я указал точку. Вот здесь еще труп. Оперативник подтвердил.

— Да, в этом месте у нас тоже убийство, но мы пока их не связывали.

— Свяжите, это его работа.

Устал, я очень устал. Самое сложное — говорить то, что видишь, при матери. Невыносимо просто.

Звонки из этого района Подмосковья стали поступать на мой мобильный месяца через четыре. Звонили все из уголовного розыска и прокуратуры, а раз из ФСБ — в какой-то воинской части пропали автоматы. На вопрос, кто дал мой телефон, один человек признался: «местные опера, вы с ними на проекте работали». Полез в Интернет. Так... Есть контакт! Задержан психически больной мужчина, убивавший женщин, — сын директора мясокомбината. Ну, хоть бы позвонили, что ли, мне же надо знать результат, знать для того, чтобы верить себе!

11.

Заметил, что отношение съемочной группы ко мне немного изменилось. Повежливей, что ли, стали. И монтаж программы изменился. Теперь в эфир шло все, что я говорил.

До этого у меня было испытание, где по присутствующему на съемках ребенку нужно определить, кем был его далекий предок. Я определил довольно быстро и просто. Я посмотрел пареньку в глаза и смог почувствовать в нем нечто родное, четкое, быстрое, грубое, жесткое, острое и опасное. Армия. Старая добрая армия, которой я отдал пятнадцать лет своей жизни, а мой отец — все двадцать пять. Я сказал: «Его прапрадед — воинский начальник». Так и оказалось. Дедушкой этого мальчика был легендарный Василий Иванович Чапаев.

После съемок ко мне подошла мама мальчика, правнучка комдива, мы познакомились и обменялись телефонами. Я был доволен результатом и, в принципе, передачей в целом, но сразу по окончании эфира раздался звонок. Звонила правнучка.

— Александр, я очень возмущена!

— Чем? По-моему, все прекрасно!

— Да, да, все хорошо, но мне очень не понравился один момент: те слова, которые я говорила в ваш адрес, комментируя ваше испытание, вдруг оказались сказанными в адрес совершенно другого участника испытаний! Это несправедливо!

Я успокоил ее, я сказал, что справедливость есть, но не всегда она очевидна.

— Придет время, и все встанет на свои места, не волнуйтесь за меня и не переживайте.

Во мне, конечно, все кипело, но что я мог поделать. Выбор у меня был небогатый! На тот момент это была единственная площадка, единственная трибуна, с которой я мог заявить о себе. Моя задача — работать так, чтобы ни у какого монтажера даже мысли не появилось бы изменить суть происходящего! А для этого надо победить свое сомнение, свою собственную логику и не идти на поводу у ведущих, поторапливающих и заставляющих говорить что-то еще.

Письма. Их число перевалило за несколько тысяч. Я все так же, в случайном порядке, выбираю те, с которыми буду работать и на которые буду отвечать. География резко расширилась — очень много писем из-за границы. Не ожидал, что программа имеет такой успех у русскоязычных людей за рубежом. Особенно много из Германии.

Одно письмо откровенно порадовало. Пишет водитель-дальнобойщик, русский немец, знает меня по прошлой работе, много раз пересекал границу в мою смену. Говорит, что он стал немного звездой, так как знаком со мной. Спрашивал, не буду ли я работать в Германии. Приглашал в гости и предлагал всяческую помощь и поддержку. Само его отношение ко мне было крайне приятным, ведь работа на таможне у меня была напрямую связана с человеческими эмоциями — нужно было и закон соблюсти, и человека не огорчить.

Я занялся аналитикой, и выяснилось, что нет ни одной европейской страны, откуда не было бы писем. Судя по количеству писем, желание встретиться со мной было у огромного количества людей. И многим я могу помочь. Не всем, конечно, но многим. Позже подумаю над этим, а пока цель моя конкретная и понятная, и те люди, которые сейчас пишут мне письма, очень искренне желают мне победы. Эту поддержку я чувствую ежедневно и ежечасно. Особенно это заметно в дни, когда я в эфире: состояние мое меняется, мне всегда очень жарко, и тем, кто в такие моменты находится рядом со мной, тоже становится жарко.

Сегодня такой день. Владивосток уже смотрит, и я потихоньку начинаю прогреваться. Мои старики все это время живут исключительно от эфира до эфира. Теперь им есть чем заняться осенними вечерами. Родня собирается за столом, ставят самовар, пьют чай и ждут. Во время эфира страшно переживают и обсуждают все происходящее, а после эфира ждут от меня звонка и высказывают свои претензии. Как-то после одной моей неудачи мама была очень раздосадована. «Ну как же ты не увидел очевидного факта? Ну надо же было ему в глаза посмотреть!»

Родителям было крайне интересно наблюдать за мной. И одновременно им стало не совсем комфортно в городе. Они у меня простые и совершенно не избалованные вниманием общества, а тут под старость лет в одночасье стали известными. К моим старикам стали приходить разные люди: с просьбами, с проблемами, просили дать мой телефон или сообщить, когда я приеду.

Какие-то журналисты из местных изданий стали атаковать расспросами. В общем, пришлось мне родителям дать подробный инструктаж. Моим бывшим коллегам по работе тоже доставалось, их тоже все расспрашивали. Моя бывшая сотрудница как-то позвонила и говорит:

— Богданыч, нас тут письмами завалили, что с ними делать?

— В смысле завалили? В адрес таможни пишут?

— Да, так и пишут: Троицк, Таможня, Литвину.

— Леночка, ты все письма сохрани, я все равно вернусь и заберу их.

— Богданыч, ты бы там как-нибудь громко сказал, что ты из Троицка Челябинской области. Нам будет приятно! А то Троицков-то в России немало.

И вот сегодня выйдет в эфир программа, на съемках которой я подошел к Михаилу, ведущему, с просьбой обязательно добавить к слову «таможенник» еще и то, что я из города Троицка Челябинской области.

Мои старики сидят за столом за две тысячи километров от меня и уже смотрят мой эфир, а я просто пылаю от избытка энергии. Температура — 36,6, давление — 110/80, но руки мои горят огнем и еще есть странное ощущение в глазах, они тоже стали какие-то горячие. Раньше мне никогда не приходилось испытывать такой жар в глазах. Вот холод — доводилось. Когда три-четыре часа на улице при минус пятидесяти — глаза подмерзают, а здесь жар, и всегда в это время, в день эфира. Вот это эмоции, вот это поддержка — и в письмах, и в жизни! В таком состоянии у меня есть ощущение, что могу практически все! Состояние какой-то сверхсилы! Пока оно есть — буду просить Бога помочь мне. Пойду пройдусь, попрошу. И немного остыну: на улице легкий минус, и до московского эфира еще час.

Несомненно, эмоции людей имеют скорость света, а возможно, и превосходят ее. Я начинаю «загораться», когда на Сахалине восемь вечера, а пик этого огня приходится на десять вечера по Москве. Да, в европейской части людей намного больше, и очень похоже на то, что их одновременная эмоция делает меня таким. При этом мои физические параметры не меняются. Но люди на улице останавливаются, даже те, кто меня совсем не знают и не смотрят телевизор, они останавливаются — и мужчины, и женщины — и, глядя на них, я понимаю, что они это делают помимо своей воли. Просто останавливаются и смотрят. Что это? Как это использовать? И надо ли — использовать?

В голове вдруг неожиданно всплывает мысль, древняя как сам мир. «Не сотвори себе кумира». Может быть, в заповеди именно это имелось в виду? Может быть, наделяя такой сильной эмоцией своих кумиров, тем самым мы делегируем им всю свою силу? Надо думать, надо крепко думать. Я уже давно знаю, что мысли не случайны, особенно появившиеся безо всякой аналитики. Не сотвори себе кумира.

Пора домой, через десять минут эфир. Мы с парнями садимся у телевизора. Я уже знаю, что там все будет хорошо, но волнение меня не покидает. Каждый раз перед просмотром меня немного потряхивает. Телефон мой уже совсем скоро разорвется от смс и звонков. Урал и мой родной Троицк уже в курсе событий, но отвечать никому пока не буду.

— Папа, а ты думал, что будет после? — Женя был очень серьезен.

— Нет, не думал, но, исходя из писем, работы будет много. Давай не будем торопить события. Скоро декабрь, и скоро все закончится, а пока — смотрим!

Я еще не в главной роли, но двигаюсь к этому каждую секунду, каждую минуту этой трехмесячной эпопеи.

Эфир был очень хороший. Я и так знал, что на предыдущей неделе мне многое удалось, но смотреть со стороны было очень интересно, особенно интересно было наблюдать за реакцией людей, которые все время остаются за кадром. За их глазами, за их жестами. Когда попадаешь в цель — это сразу видно. И, поверьте, это очень приятно — видеть удивленные глаза и осознавать, что это удивление, эту эмоцию вызвал ты.

Надо отдать должное съемочной группе, они умеют ловить эмоции. Работа на площадке без дублей, на все про все — десять минут. По мере съемок я стал понимать процесс: кто за что отвечает, кто что делает на съемочной площадке. На первый взгляд кажется, что нет никаких правил, каждый делает что-то свое, кто бродит туда-сюда, кто чай пьет, короче, разброд и шатание. Но смотришь итоговый результат — здорово! Я стал понимать внутренний юмор телевизионщиков, их термины, их поговорки и пословицы. «Ученье — свет, а неученье — звук!» Интересная у них работа, творческая и очень динамичная. Мне, человеку системы, человеку регламента, вначале очень не хватало порядка. Я даже делал замечания по поводу плохой организации. А больше всего меня тяготило ожидание. Час, два, три. Ты сидишь в напряжении, все время на низком старте, а у них то брак по свету, то брак по звуку, то в самый ответственный момент, когда я вот-вот уже увидел картинку и мне нужно лишь ее запомнить и вытащить детали, какой-то неловкий сотрудник цепляется ногой за кабель и осветительный прибор с грохотом падает на пол — меня моментально, с каким-то невероятным скрежетом, выкидывает на поверхность из этого погружения, и это, наверное, похоже на кессонную болезнь у водолазов, когда вскипает кровь. Но все равно мне все это ужасно нравится! Я всегда мечтал посмотреть на процесс изнутри, и мне это удалось!

12.

Почему-то людям нравится война. Они придумывают себе забавы, в которых всегда есть соревнование с себе подобными. И всегда — с элементами агрессии. Даже невинные в плане агрессии вещи словами обрамляются так, что это все равно война. И этот проект-трамплин не был исключением — в нем была попытка втянуть меня в войну. Слава Богу, я знал своего врага в лицо, и он был исключительно во мне, а не во внешней среде. Но, как ни крути, вторжение в мой мир следовало ограничить хотя бы потому, что к экзаменам надо готовиться серьезно и постараться максимально исключить все риски. Я понимал, что телевизионщикам нужен элемент шоу — а как его добиться? Только через конфликт. Но мой конфликт им снять не получится: нужно зрелище, а моя война — невидима. Значит, необходимо устроить реальный конфликт между участниками проекта.

Провокатора я вычислил очень быстро и, улучив свободную минуту, когда еще не были включены микрофоны, которые были на нас всегда, я отвел его за автобус и прямо в глаза сказал: «Не надо устраивать провокаций в отношении меня. У меня нет сейчас времени на ожидание справедливости. И это не просьба — в противном случае я найду удобный момент и отбуцкаю тебя, как помойного кота».

Этого оказалось более чем достаточно. Я иногда могу быть очень убедительным. Больше мы к этому вопросу не возвращались. И я опять повернулся лицом к своему настоящему врагу, которого я должен поразить, и враг этот теперь остался без сообщников извне.

Звонок. Место встречи постоянно меняется. На сей раз станция метро «Сокол». Время — шесть часов вечера. Очень хорошо. Пока суть да дело, пока все настроят, будет уже совсем темно. Будет мое время.

В вестибюле метро меня встречает сотрудник съемочной группы. Машина обычная. Едем по вечерней Москве, недолго, каких-то пять минут. Большая стоянка для машин. Вывеска «Чайхана» на здании. Заходим внутрь — и правда, самая обычная узбекская чайхана. Все как в Ташкенте, в том числе и официанты. Включаю режим ожидания. Заказываю воду. Сейчас мне нужна только вода, только ее энергия, всепроникающая всерастворяющая субстанция с удивительными свойствами.

Как я и предполагал, три часа в ожидании, а потом — будьте любезны, пройдемте. Испытание оригинальное. Пробирка с кровью. Чья кровь? По эмоции ведущего — кровь живого человека. Ведущий спокоен и очень любопытен. Он профессиональный психолог, и он мне нравится.

Он носил погоны — это чувствуется. Он для меня свой, очень открытый, и еще его энергетика очень похожа на энергетику моего отца, даже есть что-то общее в глазах. Я думаю, что они с моим отцом одного возраста.

Итак, вот пробирка. Кровь — не водица, это точно. Она живая, она вибрирует, и она несет информацию. Уж я-то знаю: чужой крови мне залили предостаточно и она меня спасла, и не только спасла, но и изменила, и вот я здесь. Может быть, в том числе изменила и для того, чтобы я здесь оказался?

Человек или животное. Да — нет. Мужчина или женщина. Да — нет. То испытание с Есениным и ту ошибку с определением пола я на всю жизнь запомнил. Итак, кровь мужчины. Теперь надо ловить эмоцию, ощущение и сравнить с тем, кого знаю. Закрываю глаза. Из темноты вдруг появляется мой товарищ по волейболу, высокий, сильный, мой ровесник, балагур и весельчак, который отменно готовит шашлыки и который чертовски нравится женщинам. Артист по жизни. Ну что ж, его и буду описывать. Заныла поясница. О, друг сердечный, так у тебя еще и спина болит. Хорошо, хорошо, чувствую. Интересно: тот, чья кровь в пробирке, он очень интуитивный, вокруг вода. Вода дает интуицию. Моряк? Нет, вода речная, пресная. Пытаюсь понять. Вдруг голос ведущего возвращает меня в студию: «А что это вы руку сжимаете,

Александр?» Да, действительно, почему я сжимаю руку, что за палка в руке? Это весло. Ты мне помог, ведущий, ты мне помог!

Рассказываю все, что видел. По реакции ведущего понимаю, что ошибок нет. Распахивается дверь и входит высокий мужчина, два метра ростом и с львиной гривой. Я его знаю, он артист. Видел его не раз в фильмах и в телепрограммах. На груди у него какие-то металлические фенечки на кожаных шнурках. Антураж, это просто антураж, лично ему они даром не нужны. Знакомимся. Да, товарищ — готовый тамада, недаром я увидел своего старого знакомого.

Я очень доволен результатом и самим испытанием в целом: не надо никого огорчать, нет потерь, кровь из пробирки, а не размазанная по линолеуму. После программы обменялись телефонами. Он позвонил мне на следующий день, голос хриплый, сильный, я даже сначала и не понял, кто рычит в трубку. Пригласил в театр киноактера на Поварской. Ну что же, схожу с удовольствием, надо немного развеяться.

В своей жизни я не часто ходил в театр, в моем городе его просто не было, а там, где служил, иногда и кино было большой редкостью. Но это Москва, и здесь все есть. Надо будет со временем восполнить пробел. Я еще не понимал, что эта мысль о восполнении пробела будет реализована на двести процентов!

13.

Приближалась зима, и мои испытания проходили все легче и легче. Я существенно сбросил вес, одежда на мне болталась, я по-прежнему мало спал и много времени проводил в Интернете — помимо ответов на многочисленные письма, я читал все, что там есть о фэншуй. Эта теория поражала меня все больше и больше. Моему удивлению не было предела, когда я находил ответы на свои вопросы.

Для меня вдруг стали настолько очевидными те вещи, о которых я знал раньше, но никак не мог применить эти знания в жизни. Вещи, которые лежали на поверхности, нужно было просто по-другому на них смотреть. До участия в проекте, до пройденных испытаний, в результате которых доверие к себе возросло максимально, я не видел такой взаимосвязи во Вселенной, я делил мир на материальный и нематериальный и никак не мог соединить эти две половины. Но прошли три месяца тяжелейшей работы в нематериальной сфере — и я увидел, что мир неделим.

Помню, еще в школе, изучая оптическую физику, я слушал учителя, который говорил о поляризации света. Вроде бы в теории все было понятным, но так уж получилось, что в школе не было ни одного поляризационного фильтра. И вот несколько лет спустя я увлекся фотографией и однажды купил себе такой фильтр-насадку на объектив — качество моих снимков удивительным образом изменилось.

Когда появились первые солнечные очки с поляризационным стеклом, я не задумываясь их приобрел. Я люблю рыбалку, и порой очень важно рассмотреть, что творится в воде. Без очков чаще всего ты видишь только поверхность воды, а что в глубине — неизвестно. Но вот ты надеваешь это простейшее, с точки зрения современной цивилизации, изобретение — и тебе открывается недоступный доселе мир.

Вот таким фильтром и стала для меня эта древняя восточная наука. Сквозь ее фильтр день за днем я начал лучше понимать, для чего я вчитывался в журнал «Наука и жизнь», который вывел меня на более глубокий источник информации — журнал «Химия и жизнь», для чего выбрал именно фармацевтический вуз, ту школу, где изучается практически все, что можно изучить в современном мире.

Я никогда не собирался выращивать лекарственные растения или работать технологом на фармацевтической фабрике, не собирался я быть и токсикологом или аптекарем — и не был ни одним из них практически ни дня, но желание познания естественно-научных дисциплин было просто колоссальным. И вот спустя много лет, когда я читал все, что связано с фэншуй, моя память стала выдавать те знания, о которых я не забыл, но до этого момента в принципе не вспоминал. Ну, есть они у меня и есть. И только вот теперь, на сорок девятом году моей жизни, я понял, для чего мне все это было нужно.

Я много лет искал учителя — человека, который смог бы мне объяснить происхождение тех или иных явлений не с точки зрения обычных знаний, а с точки зрения конечного замысла всех событий. Оказалось, что этот человек — я сам. Просто в одно мгновение свет буквально сошелся клином и высветил то, чего я раньше не видел. Я стал потихоньку понимать, кто я, какими характеристиками обладаю, какие мои стороны сильны, а какие не очень. Я стал понимать все не только про себя, но и про других, я стал исследовать биографии звезд и простых людей, вождей и рабов, отслеживать судьбы сотен людей, знакомых мне и не знакомых.

И с каждым разом я убеждался в одном: это работает! Это работает четко, но при одном условии: человека надо рассматривать исключительно как часть его клановой системы, как некую веточку, произрастающую на конкретном дереве, корни которого являют собой прошлые поколения, ствол олицетворяет родителей, ветви — конкретного человека, ну а плоды — его потомков.

Однако главного я так и не узнал. Кто мне помогает, кто дает подсказки, отчего у меня идет мороз по коже, когда я говорю истину, и практически такое же ощущение испытывают те, в чей адрес я ее говорю. Сквозь эту древнюю науку я стал понимать многие вещи, сказанные в Библии. Многие иносказания открылись мне с совершенно удивительной стороны, притчи стали не сказками, а инструкциями к применению, предметы стали для меня источником информации.

Теперь я понимал свое желание и стремление в девятнадцать лет служить на северном флоте. Раньше я себе объяснял это желание только тягой к перемещению в пространстве и своим неуемным любопытством, но сейчас я точно знал, где находятся места, делающие меня более интуитивным, более сильным и более мудрым.

Ох, как же много времени я потерял, но сожаление мое, конечно, было неуместным. Мой принцип своевременности событий пошатнулся, так как я понял, что при проведении определенных мероприятий это мое «своевременно» может наступить гораздо раньше. Я и раньше ценил людей, но сейчас их ценность приобрела для меня невиданные размеры. Нет в мире ни одного бесполезного человека. Все зависит от того, как его применить.

Изучение китайской грамоты оказалось столь увлекательным делом, что я не преминул использовать ее на практике. На свою интуицию я полагался безусловно, но если есть что-то, что мне может помочь в работе, почему бы это не использовать? Для начала я стал обращать внимание на то, в какие цвета одеваются люди. Тот свет, который я видел у них над головами, без знаний фэншуй давал мне не совсем полную картину. Теперь же я знал примерные характеристики того или иного человека, и по ним у меня появилась возможность определять даже дату рождения, практически не включая интуицию, но вот как я определяю имена родителей или предков — до сих пор ума не приложу.

Мне очень понравился принцип разделения людей по принадлежности к той или иной стихии, но для меня понятие «стихия» было недостаточным. Я раскладывал их так и эдак, читал про их соотношение и однажды задумался об их цвете и форме, и в какой-то момент пришло понимание, что стихии — это волны, источником которых является Вселенная. Волны, которые имеют конкретные характеристики, и в зависимости от этих характеристик люди, рожденные в тот или иной период, наделены возможностью поглощать либо отражать тот или иной свет, ту или иную определенную длину волны! Люди не генерируют фотоны света, люди всего лишь отражают его, как отражает любой другой предмет, но с удивительной избирательностью отражают только тот свет, ту совокупность длин волн, которыми они были облучены в момент появления на свет.

Мне стал понятен симбиоз физики и эмоций. Первичность определить сложно. Но вначале было слово! Момент появления на свет, дата рождения человека — определяется предками! Их эмоциями, их поступками, их действием или бездействием, их оценкой, полученной со стороны окружающего мира людей!

Я опять взялся за учебники, я знал, где искать. «Каждый охотник желает знать, где сидит фазан». Я нашел своего фазана в разделе оптической физики, и мой собственный фэн-шуй начался со школьной призмы. С обычной стеклянной школьной призмы, которая разделяет белый свет на семь цветов радуги. Той самой радуги, которую видел каждый из нас, но мало кто задумывался о словах, написанных в Библии по поводу радуги.

Бог благословил Ноя и сыновей его и сказал им: «Вот, Я поставлю завет Мой с вами и с потомством вашим после вас… что не будет более истреблена всякая плоть водами потопа и не будет уже потопа на опустошение земли… Я полагаю радугу Мою в облаке, чтобы она была знамением завета между Мною и между землею… Когда Я наведу облако на землю, то явится радуга в облаке… и вспомню завет вечный между Богом и между всякой душою живою…»

Что это? О чем сказал Он? Многие вещи я рассматриваю исключительно с точки зрения физики, той физики, которую я знаю. Радуга — это индикатор, по которому можно судить о состоянии солнечной системы. Если Он говорит, что радуга будет в неизменном виде, значит, не изменится ни спектральный состав Солнца, ни состав атмосферы Земли, и сама атмосфера будет существовать всегда. Конца света не будет! Может быть, Он посчитал эксперимент с потопом неудачным? Может быть, Он посчитал, что люди достойны большего?

Девушка из съемочной бригады искренне просила прощения. Я посмотрел на часы, было три ночи. Я не стал ее останавливать и говорить, что мне до отбоя еще час. Завтра в десять утра. Станция метро «Кропоткинская», выход в сторону храма Христа Спасителя. У меня есть шесть часов на подготовку, но сон заказывать не буду. Уже наступил день с металлической энергетикой. Фиолетовый. Сорочка у меня такая есть, Наталья подарила на прошлый Новый год. Она не знала китайской премудрости, но с интуицией у нее было просто замечательно. Металлическая энергетика — мне родственная. Фиолетовый — мой цвет.

Воспоминания накрыли неожиданно. Это похоже на приступ эпилепсии. Стараешься загрузиться по максимуму: съемки, люди, знакомства, а потом — бах, маленький штрих, и все, приступ. Дыхание перехватывает, и кроме воя — ничего. Я взял сигарету и выскочил из квартиры. Отдышался, закурил. Недели две назад пришлось выйти из такси: таксист переключал радио и выбрал Лепса и его песню «Натали». Водитель сам все увидел и остановился. «Вам что, плохо?» Он повернулся ко мне, а я просто бросил деньги на сиденье и вышел посреди проспекта Вернадского. Я шел примерно два километра и думал о том, что сейчас бы я точно ее понял. Ей-то я был понятен, это несомненно.

Ровно в десять утра я вышел из метро. Нас отвели в кафе неподалеку и сказали, что у первого участника есть как минимум полчаса. Хорошо, успею съесть кусок мяса: раз сегодня активна энергия металла — значит, надо есть мясо. Заказываю небольшой стейк и прошу сделать его как можно быстрей. Странный заказ для десяти часов утра, но официант даже бровью не повел. «Пятнадцать минут вас устроит?» Да устроит, даже если пойду первый, то все равно успею.

Металл — энергия жесткая, властная, энергия военных. Кстати, в прошлый раз испытание с участием потомка Чапаева было в такой же день — день с металлической энергетикой. Я старался никогда не думать заранее о предстоящем экзамене, а тут меня понесло. Так… военный у них уже был… Металл — это ведь еще и энергетика власти. Может, какой-нибудь политик будет? Вот бы президент! Уж я бы ему все сказал, что думаю. Нет, президента, конечно же, быть не может, но вполне возможно, что какой-нибудь депутат. Эти падки на любой пиар, им хоть в «Дом-2», хоть в «Битву».

Ну вот и мое мясо, приготовили быстро и вкусно. Эффект наступит минут через тридцать. Я уже знаю, как мясо действует на меня: появляется четкость, точность, уверенность — будет очень сложно сбить меня с темы. Не то чтобы я стану агрессивным, нет, просто по отношению ко мне людям не захочется свою агрессию проявлять.

Подъехал тот самый микроавтобус с наглухо заклеенными окнами. Я снова не первый в очереди, и это хорошо. В разговоры не вступаю и стараюсь их даже не слушать. Я и мой экзамен, и более ничего. Проводить его будут где-то рядом, думаю, что недалеко.

«Александр, прошу вас!» Я, как бычок на закланье, наклонил голову вперед, мне надели непроницаемые горнолыжные очки и повезли по Москве. Я совершенно не знаю города, но по ощущениям крутимся где-то возле центра. Приехали. Меня ведут под руки. Не очень приятное занятие ходить в незнакомом месте с закрытыми глазами. Спускаемся по лестнице, становится все тише. Вопрос ведущего: «За десять минут нужно определить, где вы находитесь и что связано с этим местом».

Это хорошо, что глаза закрыты непроницаемыми очками — так работать намного удобней, свет от софитов не мешает. Я стал тяжелее, я чувствую свой вес. Как будто вернулся к тому весу, в котором был два месяца назад. Это изменение гравитации.

Значит, я очень близко к земле или под ней — такое же ощущение у меня бывает в метро. Только там оно уносится со скоростью поезда. Но это не метро. Смотрю в темноту, минуту, две. Меня никто не торопит, это очень хорошо. И хорошо, что тихо. Малейший импульс извне мешает настройке.

Суровый мужик смотрит на меня в упор с... картины. Что еще за галерея?! Нарисованный и не современный. Брови сдвинуты, злой, агрессивный. Все-таки организаторы тоже люди. Энергия власти — это энергия металла. Все сходится. Какой-то грозный начальник. Может, правда, Грозный? Нет, портрет того, убивающего своего сына, я помню, этот не похож, но возможно, что из тех времен, наряд у него соответствующий. Опять кружу хоровод бензиновых пятен в черной темноте. Мелькает карта. Игральная карта. Валет. Близко-близко. Валет вооружен какой-то алебардой. Мысль о Достоевском. Каторга, люди сидят, лежат, кандалы. Вдруг прямо над собой чувствую металлический предмет, он просто сверлит мой мозг. «О, там похоже в потолок что-то вмонтировано». Возвращаюсь к картинке. Нет, это не эпоха Достоевского — Достоевского сторожили намного позже и с более современным огнестрельным оружием, а не с алебардами.

Снимаю очки. Рассказываю все, что чувствовал. В потолке прямо надо мной — железный крюк. Это он мне отсвечивал в темя. Экзамен сдан. Это подвал дома Малюты Скуратова. Да, намек на Грозного, его начальника, был очевидным. Надо было сказать, что, возможно, времена Ивана Грозного. Но поезд ушел, а результатом я все равно остался доволен. Металлический день. Власть. Оружие. Все сошлось.

Дома я набрал в поисковике имя Малюты Скуратова. Поисковик мне выдал картинку. Тот самый портрет, который я видел в подвале здания. Да, иногда полезно посещать картинные галереи. А не сходить ли мне в Третьяковку? Я ведь в ней ни разу не был. Мало ли какая еще картина мне привидится.

— Парни, есть предложение, в ближайший выходной сходить в Третьяковскую галерею.

Сыновья посмотрели на меня удивленно.

— А что это тебе вдруг в голову взбрело?

— Представляете, сегодня на экзамене была подсказка, портрет человека. Если бы я видел этот портрет ранее, то у меня вообще не было бы никаких сомнений. Решено! В ближайший выходной пойдем культурно просвещаться.

Ох уж эта Москва, в ней, как в Греции, есть все!

14.

В ближайший выходной мы действительно отправились в галерею. В принципе, я знал, работы каких художников хочу посмотреть. Это были Иван Айвазовский и Василий Верещагин. Я видел репродукции этих художников в школьных учебниках, и даже те небольшие фотокопии приводили меня в состояние восторга. Интересно, как же я буду чувствовать себя, когда увижу подлинники?

Я сразу понял, что нет смысла ходить по залам и смотреть все подряд, уж очень большая галерея, и спросил у смотрителя, преисполненной важности пожилой седой женщины, одетой в кофту крупной вязки, как пройти в зал, где находится экспозиция Верещагина и Айвазовского. Смотрительница на меня взглянула укоризненно, но все же сообщила, что это, вообще-то, совершенно разные по манере живописи художники и, естественно, они находятся в разных залах галереи.

Если бы не моя интуиция, то, вероятно, я бы подумал, что эта дама как минимум близкая родственница этих художников, ну или по крайней мере ее фамилия — Третьякова. Но интуиция говорила, что женщина, как и многие другие люди, утешает себя мыслью о том, что она хотя бы таким образом причастна к высокому искусству, и тем самым повышает свою самооценку. Некий аутотренинг, помогающий нереализованному человеку выжить в этом сложном мире. Таких людей я встречал и в фойе театров, и на спортивных аренах, и в храмах. Людей, старательно внушающих себе мысль о том, что близость к чему-то общественно признанному делает и их самих общественно признанными.

Но... Уже через минуту я раскрыв рот стоял у картины Василия Верещагина «Апофеоз войны» и забыл и про женщину, и даже... про самого Верещагина.

Я стоял перед конечной целью любой войны, которая представляла собой груду черепов, и каждый череп в отдельности представлял собой маленькую планету, когда-то населенную жизнью и вот теперь ставшую пустынной и безжизненной, с сорванной атмосферой. Планету, которая уже никогда никем не будет заселена и которая при этом обладает чудовищной гравитацией в отношении тех, кто сделал ее такой, и эта гравитация будет ежесекундно менять орбиты и оставшихся в живых участников побоища, и их потомков, и это будет справедливо, потому что справедливость, она, как сама гравитация, тяжела, но и жизнь и смерть без нее — невозможны.

От созерцания картины меня отвлек паренек лет семнадцати, он стоял несколько поодаль за моей спиной и наблюдал за мной. Я почувствовал его взгляд. Надо сказать, что мне не нравится, когда кто-то находится у меня за спиной, ну а если этот кто-то еще и пристально смотрит, это мне совсем не нравится, даже если это происходит в галерее. Я повернул голову и встретился с парнем взглядом, тот засмущался, и я понял, что это мой зритель и, похоже, я для него представляю не меньшее чудо, чем картина Верещагина. Я подмигнул юноше и сказал: «Хорошая картина, но возле нее долго стоять нельзя, лучше стоять у картины „Мавзолей Гур-Эмир“». Я, выросший в степи на границе с Казахстаном, неоднократно бывавший в Средней Азии, я стоял и просто грелся под нарисованным небом. Как? Как можно все это воспринять и перенести энергетику на холст? Я попытался унять свой восторг и рассмотреть картину уже с точки зрения китайской науки.

Что я вижу? Я вижу два вида энергии. Основа — желтый, бежевый, коричневый — это энергетика земли. Над ней — синее небо. Это энергия воды. Да, да, воды! Именно воды! У воды три агрегатных состояния: жидкое, твердое и газообразное. Наша атмосфера — это прежде всего водяной пар, и поэтому она голубая! На картине все крайне гармонично: земля, как берег, и вода, небольшой ее объем, молекула от молекулы на огромном расстоянии, поэтому она такая прозрачная. Мы называем это небом.

Я еще немного постоял, погрелся и отправился к Айвазовскому. И опять невероятный восторг от невероятной гармонии! Берег и море, земля и вода. Но вода уже другая, вода тревожная, вода сконцентрированная и опасная для жизни, ее много, ее избыток. И скалы — вроде бы та же энергия земли, но состояние у нее уже не то, состояние перманентной обороны, вечная борьба и вечное единство природы. После жары Верещагина легкий шторм Айвазовского — это как после парилки да в прорубь. Иголки по всему телу! Контраст!

Мне всегда было интересно, почему картины одних художников так привлекательны для людей, а других авторов люди как будто не замечают? Пишет, пишет человек всю жизнь, но так и остается на уровне художника-оформителя. А кто-то — раз, и вот он, шедевр. Сейчас, рассматривая картины сквозь ту самую стеклянную призму из физической лаборатории, я понял, что все дело в гармонии или дисгармонии. Нам всегда интересно смотреть, как строится дом, и не менее интересно смотреть, как дом взрывается. Строительство дома — это пик гармонии: постепенно из земли вырастает сооружение и заполняется жизнью. Взрыв — это разрушение с большой скоростью, и это тоже завораживает. Мы все с нескрываемым удовольствием смотрим многочисленные ролики взрывающихся зданий, и это действо может быть нам неприятно, но всегда интересно!

Придя домой из Третьяковки, я зашел в Интернет и набрал в поисковике: «Черный квадрат». Квадрат появился на экране, и я стал внимательно его рассматривать. Что я увижу, не включая ни интуицию, ни открытые недавно восточные знания в совокупности со всей моей физикой и химией? Простое созерцание. Но нет! Я уже не могу просто так взять и созерцать. Мысли мои были стремительными, включилось все: и интуиция, и знания.

Кто-то искушенный в художественном творчестве, может быть, даже более искушенный, чем женщина-смотритель из галереи, скажет, что это шедевр, потому что каждый видит в этом черном квадрате что-то свое, одному ему понятное, и тем самым автор создал универсальную картину, восприятие которой зависит только от твоего личного восприятия — и даже те скептики, которые говорят, что это просто выключенный телевизор, даже они видят выключенный телевизор!

Другой, пристально следящий за направлениями в моде и понимающий, что все с придыханием говорят об этом произведении, тоже будет говорить с придыханием, ну хотя бы для того, чтобы соответствовать вкусам общества. Те же, кто имеет свою точку зрения, но не имеет воображения, скажут «ну, квадрат и квадрат, ерунда какая-то». А кто-то скажет, что у Малевича душа черная и вот он ее изобразил.

Возможно, каждый из них по-своему прав, и наше восприятие картины действительно зависит от уровня воображения, но, помимо своей воли, я стал рассматривать картину с точки зрения знаний, полученных у китайцев, и своей интуиции.

Квадрат — геометрическая форма, представляющая собой энергию земли в состоянии тотальной остановки, полной недвижимости. А черный цвет — максимально выраженная, сконцентрированная, всесокрушающая энергия воды, энергия максимального движения. Малевич — гений! И душа у него не черная! И он не знал, что нарисует. Ему удалось соединить в одной точке два абсолюта, два вида энергии с противоположным значением.

15.

Звонок от незнакомого человека. Очень энергичный, уверенный голос.

— Александр, добрый день. Извините за беспокойство. Ваш номер мне дали на телеканале.

— Что вы хотели?

— Меня зовут Антон. Моя просьба связана с вашими способностями. Нужна ваша помощь. Я не знаю, есть ли у вас опыт такой работы, которую нужно сделать, но я предлагаю встретиться и обсудить.

Я не стал расспрашивать, о какой именно работе идет речь, — интерес у меня возник сразу.

— Хорошо, давайте встретимся. — Я назначил время и место, удобное мне.

Мужчина подъехал точно в назначенное время, и это меня порадовало. В Москве мало людей, старающихся выдержать график, тем более что есть, казалось бы, объективные причины в виде пробок. Но для меня это никогда не являлось препятствием: время есть время, и его надо ценить. Этот парень прибыл минута в минуту и тем самым сразу же расположил меня к себе. Симпатичный брюнет лет тридцати. Я посмотрел на него. «Да, тридцать — тридцать три, но по восприятию мира никак не меньше сорока. Умен, хорошо одет, хороший автомобиль. Энергия мая или... Или? Или энергия семьдесят седьмого года рождения. Поскольку внешние признаки явно выражены, то, скорей всего, семьдесят седьмой. Надо подождать его улыбку. Если я не ошибаюсь и он семьдесят седьмого года, то улыбнется не скоро. Значит, надо спровоцировать».

— У вас шикарный автомобиль, хороший вкус! — я сказал это очень, очень тихо, но он услышал и улыбнулся.

— Спасибо, да, он мне очень нравится!

Так и есть — семьдесят седьмой! Хорошо, его основные характеристики мне более или менее понятны. Когда выясню день и месяц его рождения, будет еще проще. Да, у парня есть проблема, и проблема не надуманная. Такой человек просто так, из любопытства, не обратится и уж тем более не будет меня искать. Только похоже, что он уже использовал все методы аналитики, и остался лишь метод непроверенный и для его системы координат вроде бы не совсем достоверный — осталось обратиться к интуиции.

Похоже, он впервые в такой ситуации и очень внимательно меня разглядывает. Ох, какой недоверчивый, но деваться ему некуда. Закрытый, умеет очень хорошо скрывать свои мысли и чувства, но сейчас, изучая меня, парень, сам того не подозревая, раскрылся. Телефончик-то ему на канале не просто так дали, скорей всего, отказать не смогли. Серьезный молодой человек.

Мы сидели в пустом кафе возле кинотеатра «Звездный» на проспекте Вернадского. Была первая половина дня, в кафе было тихо, и ничто не мешало нашему общению.

— Ситуация следующая: вся моя семья достаточно академическая, мы все люди науки и занимаемся научной деятельностью, и до сего момента никто из нас даже и не думал о том, что есть какие-то вещи, необъяснимые с точки зрения современной науки. Но вот произошла трагедия, и мы задумались. Дело в том, что умерла моя тетя. Мы ее недавно похоронили. Она была очень энергичной, довольно еще молодой и симпатичной женщиной, вела активный образ жизни и следила за своим здоровьем. И вдруг… она умирает. При вскрытии у нее обнаруживают опухоль гигантских размеров, опухоль, которой еще два месяца назад просто не было! Она обследовалась в хорошей клинике, это был ее плановый ежегодный медицинский осмотр, с самыми современными методами исследования. Два месяца назад она была абсолютно здорова и вот… умирает. Поверьте, Александр, я эту клинику посетил и опросил всех, кого только мог, поднял все медицинские документы, все анализы крови, все исследования. Везде все чисто! Врачи, проводившие исследования, в полном недоумении. Тетя была жизнерадостной, со многим врачами дружила и нравилась им. Мы похоронили тетю и очень горевали, но прошло некоторое время, и мы занялись ее комнатой. Там надо было провести генеральную уборку. И вот при проведении генеральной уборки мы обнаружили в комнате странный предмет. Камень с нарисованным на нем крестом. Я к таким вещам отношусь скептически, и я знаю свою тетю. Она была еще большим скептиком, а тут такой странный предмет. Моя супруга очень испугалась, у нас маленький ребенок…

Да уж, история. Вот уж никогда не думал быть детективом, хотя по работе на таможне приходилось и этой деятельностью заниматься, но там не было никакой мистики, а здесь наблюдаю полный комплект: смерть тети, стремительно развившаяся опухоль, отличные анализы по здоровью, недоумение врачей и камень с крестом.

— Куда вы дели этот камень?

— Я его выбросил, а что, не надо было? — Антон напрягся, он по-настоящему боялся неведомого мира, который был неподвластен его блестящему уму.

Да, парень может поверить только в то, что видит, только в то, что поддается аналитике, а здесь для него тупик, и этот тупик пугает его. Он напуган не меньше своей жены. Но старается держать лицо. Молодец.

— Давайте договоримся так: вечером или даже ночью я точно буду знать, будет ли у меня свободен завтрашний день. Я позвоню вам, вы за мной приедете и отвезете меня в эту квартиру.

На следующий день никаких экзаменов не было, но это означало лишь то, что мне предстояла работа. Без съемочной группы, без грима, без зрителей. Посторонних не будет. Будут только те, кому надо быть. Никто из них от меня ничего не скрывает. Ну что же, когда так, один на один, это справедливо. Я не боялся сделать ошибку. Не знаю почему, но страха сделать ошибку у меня не было. С вечёра я подготовился. У меня были все исходные данные. Имена и даты рождения всей семьи, в том числе и дата смерти этой несчастной, внимательно следившей за своим здоровьем и в одночасье его потерявшей.

Антон подъехал за мной на той же шикарной машине, и мы быстро добрались по нужному адресу. По тому, как мы ехали, мне стало очевидно, что Антон давно живет в Москве и по крайней мере этот район знает великолепно. Без навигатора, какими-то узкими тропинками, временами проходящими через какие-то склады и новостройки, он вез меня, успешно минуя заторы на магистралях, и вскоре мы приехали во двор большого, похожего на муравейник дома.

Окна, окна, окна, а за каждым своя жизнь и своя судьба. Дом высотный. Наверняка никто никого здесь не знает. Мы вошли в квартиру, в которой никого не было: жена Антона с ребенком гуляли на улице. Это к лучшему, сейчас мне лишняя энергетика будет только мешать. Я попросил Антона идти чуть позади меня.

Квартирка хорошая внешне, но что-то мне душновато. Какой-то страх есть — сразу, с порога, да и мне не совсем хорошо. Что я ищу? Я не мог сформулировать задачу. Что я должен здесь обнаружить, какой вид энергии, с чем я его должен сравнить? Мне нужен правильный вопрос. Будет правильный вопрос — будет правильный ответ.

Я остановился в коридоре и закрыл глаза. Для начала мне нужно прекратить дышать. Мне нужна легкая гипоксия. Мне нужна легкая паника организма, когда вся логика его уйдет на поиск причины гипоксии: все было хорошо, все системы работали нормально, и вдруг — гипоксия. Автономная система начнет судорожно искать причины, и моя задача в это время задать вопрос, правильный вопрос. Или не вопрос? Или довериться принципу «свой — чужой»? Чужой — опасный. Почему чужой? Почему опасный? Потому, что мне резко стало плохо, и это не гипоксия. Этот холод между лопаток я знаю, я помню это ощущение, оно уже было, в детстве, когда я испытал этот ужас и боялся повернуть голову.

Принимаю решение: я ищу опасность, я ищу ее максимальную концентрацию. Прошу Антона уйти из прихожей и вытягиваю руки вперед. Теперь можно дышать. Делаю разворот на триста шестьдесят градусов не открывая глаз. Изменение есть, едва заметное. Открываю глаза, передо мной на расстоянии метра обычный шкаф для одежды. Зову Антона. «Посмотри, пожалуйста, этот шкаф, есть ли там что необычное на твой взгляд».

Антон очень серьезен, он открывает шкаф, внимательно просматривает его содержимое — все как обычно. Антон встает на носки и проводит рукой по верхней полке. В руках у него фотография. Она не простая, она проколота иглой. Тетя. Антон держится молодцом и не торопит меня. «Положи пока все это на место и отойди от меня подальше».

Я опять делаю разворот. Интересное ощущение — то, что найдено, уже не «фонит». Сейчас новый сигнал, точный и конкретный, и идет он из совершенно другого угла. Открываю глаза. Справа по коридору закрытая дверь в комнату. Сигнал идет оттуда.

— Антон, что там у вас?

— Это дверь в спальню, показать ее?

— Нет, только открой.

Антон открывает дверь, я захожу в комнату. Она примерно восемнадцать квадратных метров. Я стою практически в дверном проеме, Антон за моей спиной. Поворачиваюсь влево к стене и закрываю глаза. Направляю руки вдоль стены и медленно-медленно, поворачиваясь всем корпусом, ловлю изменение в ощущениях. Я делаю это очень медленно, в абсолютной тишине и вдруг раздается... треск. Я открываю глаза. «Что это? Что-то было? Или мне показалось?»

Поворачиваюсь к Антону — судя по его глазам, он тоже что-то слышал. Я на метр продвигаюсь в комнату и последовательно повторяю свои действия. И снова на том же ракурсе — отчетливый треск. Поворачиваюсь дальше — тишина. Возвращаюсь — снова трещит. Антон явно напуган, побледнел.

— Слыхал?

— Да, слыхал, а что это?

— Не знаю, сейчас посмотрим.

Мои руки направлены на левый угол окна, закрытого портьерой.

— Аккуратно отодвинь портьеру и ничего не трогай.

Антон сдвигает портьеру в сторону. В левом углу подоконника стоит пластиковая бутылка с бесцветной жидкостью, на бутылку накручена обычная головка пульверизатора. Я дома такой пульверизатор использую, когда глажу вещи. Увожу руки в сторону и, уже не закрывая глаз, подвожу их к бутылке — пластик начинает трещать. Теперь квадратные глаза и у меня самого. Что это? Таких фокусов, на физическом уровне, я от себя ну никак не ожидал. Антон похоже крепко озадачен. Он человек науки, и то, что происходит, не укладывается в его сознании. Оно и в моем-то не укладывается. Но это есть, и теперь мне надо понять, почему трещит бутылка с водой. Она — опасность? Она — чужая?

Я подошел к окну, присел на стул и уставился на бутылку. Может быть, она затрещала, потому что мы открыли дверь — поток более свежего воздуха охладил пластик бутылки и он просто с треском сжался? Но почему он трещит только тогда, когда я направляю на него руки с вопросом «свой — чужой?».

Я закрываю глаза. Темно, темно, я пытаюсь раскрутить эту темноту против часовой стрелки. Как-то на экзамене я для себя решил, если получать информацию из прошлого, нужно крутить темноту против часовой стрелки. Вот появляется пятно света, тонкая мерцающая бензиновая пленка на воде, я кручу ее все сильнее, мне нужно сделать так, чтобы от вращения она прижалась к краям черноты. И вот она в одно мгновение разбегается, и я вижу руки, льющие воду из алюминиевого ковша. Вода льется на бледную кожу. Бледную кожу умершего человека. Вот это кино!

Я открыл глаза. Да уж, я слыхал о том, что воду с покойника как-то используют, и даже однажды видел женщину, которая хотела помочь санитарам в морге, но один из санитаров ее не пустил, а послал ее подальше, на что женщина совсем не обиделась и пошла себе спокойно, а тот санитар как-то смущенно взглянул на меня и сказал: «Ходят какие-то странные». Но я понял, что она придет еще раз, когда, кроме этого санитара и покойников, в морге никого не будет.

Интересно, кто ее приволок сюда, эту бутылку. Только подумав, я получил ответ. «Таня. Татьяна». Вижу лицо. Лет сорока пяти — пятидесяти. Дальше просто бегом побежало. Володя — муж, скорее всего. Потом еще молодой человек — острый нос, лицо тонкое, заостренные скулы.

— Антон, дай-ка мне пакет. — Пока молчу и вердикт не выношу. Даже не представляю, как это работает, но водичка-то похоже опасней, чем радиоактивная. Барышня Татьяна обрызгала ею всю квартиру. — Пойдем на лоджию и перекурим.

Мы вышли на свежий воздух — и да, почувствуйте разницу, как говорится. Этот липкий страх остался за дверью.

— Антон, напряги память. Женщина, зовут Татьяна, возраст сорок пять — пятьдесят. Мужчина, скорей всего, муж, Владимир, и похоже сын, имя не зацепил, по внешности лет двадцати, бледный, остроносый.

Что бы я ни говорил в какой бы ситуации, но мне очень нравится видеть изумленные лица, особенно когда причиной изумления являются мои слова. После фокуса с бутылкой Антон, по сути, забыл про свое академическое настоящее, а тут и просто выронил сигарету.

— Так, — он сглотнул слюну, — Татьяна — наша приходящая домработница. Володя — это ее муж. Остроносый — это сын, сейчас сидит за наркотики. Татьяна просила у тети деньги, чтобы выкупить его, тетя уже давала однажды и сказала тогда, что это в первый и последний раз, займитесь сыном, а может, будет и лучше, если он сядет и там, быть может, сумеет отказаться от наркотиков. Во второй раз она денег не дала и нас попросила не давать, а то так и будет продолжаться.

— Когда парня посадили?

Антон начал вспоминать.

— Месяца за три до смерти тети. — Лицо было напряженным, включил свою логику. — Неужели она? Неужели из-за тех денег? Боже мой! Надо было дать их и все. Как мне теперь своим-то объяснить? Может, вы с ними всеми встретитесь?

— Не спеши, Антон, для начала сделай генеральную уборку, протри тут все, каждый миллиметр простой водой, да не раз, не жалей воды — сильнейший в мире растворитель.

— А может, святой?

— Можешь и святой, не помешает.

— А батюшку? Может, батюшку пригласить и освятить квартиру?

— И батюшка не помешает, только про меня не говори, а то начнет тебе морали читать, понимающих батюшек на этом свете не так уж и много. Так, вези меня домой. Источник опасности тебе известен. Дома все тщательно проверь, что-то она еще здесь забыла. Воду вылей.

— Куда?

— Да хоть в унитаз.

— Нет, в унитаз нет, я ее куда-нибудь отвезу.

— Ну тогда поехали, меня отвезешь и воду выбросим.

Антон шел с пакетом, держа его поодаль от себя, и весь его вид говорил о том, что это мероприятие ему не приносит удовольствия. Когда мы проезжали мимо коллектора для стока воды, я сказал: «Вот сюда и выливай — с талой водой и московскими реагентами ни одна вода с покойника соревноваться не может». Антон был напуган, и я понимал его страх. В этой квартире ему жить. У него ребенок и жена, а тетя, цветущая тетя, ушла.

Вернувшись домой, уставший, я с порога отправился в душ. Вот это опыт. Армейский словарный запас резко активизировался. Такого со мной еще не было. Больше всего, конечно, меня поразила механика действия. Бутылка, которая трещала.

Я стоял под душем и представлял дождь — дождь, под который попал в 1979 году в Хабаровске. Это был настоящий тропический ливень, теплый и мощный. На Урале я таких дождей не видел. Вспоминать этот ливень для меня не составляло труда — мой дождь, мой антидот, мое противоядие. После душа я полез в холодильник, там было еще одно средство, но теперь внутрь. Рыба, кусок соленой кеты, который я с удовольствием съел и запил черным чаем с сахаром. Сыновей моих еще не было дома. Да, теперь мне будет что рассказать им. Хоть роман пиши!

Антон позвонил часа через четыре, когда парни мои уже были дома и я только-только закончил свой рассказ.

— Александр, я отвез вас, а вернувшись, застал дома жену и ребенка. Пугать жену не стал, сказал только, что нужна генеральная уборка, и приступил к обыску. Я перерыл всю квартиру, все, что можно, но ничего не нашел. Но я вам верю и поэтому начал уже книги вытаскивать, смотреть за ними. Жена, видя мою бурную деятельность, остановила меня, сказав: «Давай завтра, ребенок капризничает целый день, обычно выходим гулять и он быстро засыпает, а тут кричит и кричит, на руки возьму — успокаивается, а как укладываю — снова в рев, до истерики, а тут еще ты все вверх дном ставишь». К тому моменту я детскую всю обследовал уже, там все чисто было. Ее слова меня как кипятком ошпарили.

Антон заговорил совершенно не в своей манере — он говорил быстро, сбивчиво, перескакивая и глотая слова так, что я только по смыслу мог ориентироваться.

— Антоооон. Так, успокойся, выдохни.

Он умолк на секунду.

— Так вот, я вспомнил, что не осмотрел коляску. Она стоит на лестничной площадке. Я вышел на площадку, осмотрел коляску, поднял матрасик, а под ним два камня, небольшие, и на каждом нарисован крестик.

Ну, что ж, с такой задачей я никогда не сталкивался. Я читал об этом в книгах и в Интернете, ко мне уже приходили письма, сотни писем, в которых звучали слова «порча» и «заговор», «отворот», «приворот», много, очень много разных слов, означающих воздействие извне. Но никто из моих близких никогда не говорил мне о чем-то подобном. Я всегда воспринимал такие вещи исключительно с точки зрения детских страшилок для взрослых и вот впервые столкнулся с реальным событием, и интуиция подсказывает мне, что я не ошибаюсь. Я вижу работу очень серьезного оппонента, и мороз, покрывающий инеем мою спину, говорит, что он, этот оппонент, не менее реален, так же, как реален и я. Нет, женщина по имени Татьяна сама не смогла бы сделать ничего подобного. Но кто ее научил? Специалист с высокой квалификацией.

И поэтому он опасен. Кто-то, кто знает законы физики не хуже меня, а может быть, даже и лучше.

То, что вода — сильнейший в мире растворитель, в том числе и информации, я знал, но что несет в себе вода, которой обмывали покойника? Остаточные эмоции? Ужас ожидания смерти? А может, она выступает в роли какого-то катализатора? Вода, несущая энергию остановки, энергию болота, энергию гнили, превращающая организм в зловонную лужу и делающая его питательным субстратом для развития болезнетворных организмов. Это вода, снижающая иммунитет. Я думаю, это основное ее свойство, транслируемое в окружающий мир. Антииммунный энергетический субстрат. Другие мысли ко мне не приходят, это некая «закваска» для начала процесса.

Так, теперь камни-камушки. Здесь уж однозначно энергия неподвижности, но есть еще и элемент в виде креста. Распятия. Символ смерти и символ воскресения. Хотя по поводу воскресения есть сомнения, воскресение произошло не на кресте, а только после того как Иисуса сняли с него. Крест — дорога к воскресению, подготовка к нему, но не просто дорога, крест — это, скорее, мучительный путь.

Картина вырисовывается следующая: в основе лежит месть за несправедливый отказ. Несправедливый ли? Покойная уже один раз пошла навстречу, дала деньги, результат известен. Парень не изменился. Я не вправе ее судить в ее отказе, но почему она попала под воздействие? Значит, это прошлое. Если ты чист в делах и в мыслях, этого еще не достаточно, надо смотреть прошлое, ответ к загадке кроется именно в прошлом. Там, далеко, кто-то из предков этой женщины совершил ошибку столь серьезную, что она не смогла устоять перед энергий смерти.

Могла ли она откупиться деньгами? Возможно, могла, и деньги, отданные ею несчастной матери, могли бы быть просто эквивалентом добра, антидотом для отрицательной энергии прошлого. То есть те положительные эмоции убитой горем матери могли бы нивелировать ошибки прошлого. Маленькое счастье одного человека, если оно вызвано действием другого человека, могло выступить противовесом на чаше весов в пользу жизни.

Но почему я смог это все распутать? Я-то кто такой? Почему мне впервые в жизни был дан настолько очевидный знак, что даже посторонний человек увидел и услышал ответ на мой вопрос об опасности. Треск пластиковой бутылки не выходил у меня из головы. Возможно, я здесь тоже всего лишь инструмент мироздания. Тогда встает вопрос, для чего применялась моя интуиция? Для того, чтобы сохранить жизнь этой семье? Может быть, для того, чтобы поставить восклицательный знак в слове справедливость и элементарно убрать из их квартиры опасность? Может быть, именно для этого.

Справедливость, статус кво восстановлен, нужна санация. Я в роли санитара. Ликвидатора последствий аварии. Я не знаю. Несмотря на то что китайская грамота открыла мне глаза на многие вещи, вопросов меньше не стало. Их стало больше. Да, я учусь, и, скорей всего, жизни моей не хватит на то, чтобы повесить себе на грудь значок с надписью «Я все знаю». Похоже, как раз наоборот. Надпись там будет другая. Я не знаю ничего!

Оставался еще один вопрос. Кто этот специалист, который решился на убийство? Кто научил бедную женщину этим действиям и ритуалам, кто использовал знания, реализация которых привела к смерти. То, что такой человек есть, у меня не было сомнений. Я по своему опыту могу сказать: знающий, как лечить, знает и то, как усилить болезнь. Просто мне в голову никогда не приходил вариант уничтожения личности. Нейтрализация — да, сделать человека безопасным — да, сделать так, чтобы понравиться человеку, — да, снизить критику в свой адрес — конечно да! Но убивать-то зачем? Даже просить Бога о наказании кого-то — нельзя. Обратить внимание — пожалуйста, но просить уничтожить — никогда!

Поскольку уровень знаний у оппонента весьма высок, то почему же он не научил женщину, как правильно подойти и попросить те же деньги? Ведь внутри у каждого из нас есть любовь к ближнему, и определенные слова, сказанные в определенный момент, делают эту любовь понятной, и человек, услышав эти слова, всегда пойдет навстречу. Может быть, для меня это элементарные вещи? Может быть. Но для того, другого, похоже, есть только один путь — путь смерти, путь остановки, путь власти. Знания дают власть. Власть — это испытание. Оппонент не выдержал экзамен. Ему приятно видеть в глазах людей не восхищение, а страх.

Да, теперь эта бедная домработница целиком во власти своего «наставника». Теперь ее жизнь — страх. Теперь она знает, что можно убить, и убийство это не подпадает под статью Уголовного кодекса, потому что общество это отрицает, но, с другой стороны, это случилось, и теперь у нее нет сомнений в существовании и Бога, и Дьявола. И она прекрасно понимает, к кому были обращены ее мольбы и просьбы, кому на алтарь она бросила свою эмоцию, подлинную, искреннюю эмоцию мести. Ох, как же ей должно быть сейчас страшно. Но что сделано, то сделано. У нее еще все впереди, не у нее, так у ее сына. Справедливость — штука долгая.

В последнее время я встречал много разных людей, называющих себя колдунами, магами и ведьмами, но настоящих среди них не встречал ни разу. И вот представился случай встретиться с работой настоящего специалиста. Почерк женский. Я решил для себя, что это женщина. Аналитики нет никакой, это женщина, и все. Одинокая, еще не старая, не старше меня. Скорей всего, она хороший практик, но без интуиции. Была бы интуиция, она бы себе такого не позволила. А стало быть, лично мне она не опасна. И это хорошо. Вероятно, судьба преподнесла мне урок не просто так: я с ними буду встречаться, с людьми, не выдержавшими испытания властью, и мне нужно находить противоядие. Не для себя, а для тех, против кого этот человек и ему подобные направят свои знания.

Если они есть, люди с черными душами, то должна быть в них какая-то целесообразность. Разделение на Бога и Дьявола меня не совсем устраивало. Бог есть Творец, и тогда, получается, Дьявол тоже его создание? Но создание со своей функцией и со своими адептами, в виде того человека, который принес в квартиру бутылку с водой.

О, как много мне надо еще знать и уметь. Пока я все время действую эмпирическим путем, методом проб и ошибок, но то, что произошло сегодня, требует максимальной осторожности в работе. Мое внутреннее убеждение было связано с тем, что я с Богом, по крайней мере, я на светлой стороне, а Дьявол с его помощниками и проводниками — на противоположной. Я уже многое умею и многое знаю. Я могу делать как одно, так и другое, но я знаю, что другое делать нельзя, а они что, не знают? Получается, что не знают, и это незнание ставит их заведомо в проигрышную позицию. Или специально идут на конфронтацию? Гордыня. Скорее всего, именно это качество является катализатором процесса.

16.

Сон. Он был очень неожиданным. Я уже месяц не видел снов и специально ничего не заказывал. Сон был цветной, очень короткий и очень яркий.

Я шел на лыжах, обычных беговых лыжах, старых, деревянных, с брезентовыми ремешками креплений, в валенках, подшитых моим дедом. Я шел на лыжах из моего детства. Сначала идти было сложно и тяжело, снега почти не было, так, легкая изморозь на земле, но потом снега становилось все больше и больше, скорость моя возрастала, и в какой-то момент я взлетел и увидел сверху долину реки, заваленную снегом, кусты тальника, уходящие к горизонту, и снег, переходящий в синеву неба.

Я проснулся от всепоглощающего восторга, от невероятной радости осознания того, что, оказывается, я могу летать. Я проснулся в квартире на своем надувном ложе, в состоянии блаженства от полета над землей. И не просто над землей, а над той территорией, которая мне знакома с детства, — я узнал эту реку и этот тальник, настолько густой, что там можно было заблудиться. Я исходил эти места вдоль и поперек, но вот теперь я увидел их сверху, с воздуха. Я увидел свою родину, и я летел над ней.

Мне не нужно было никаких интерпретаций этого сновидения. Это хороший сон, и родина моя — это вся страна, это просто знак, что я иду правильным путем. То есть стратегия правильная, а тактика скрыта в деталях. Детали — лыжи, мои старые лыжи, на которых я ходил в детстве, они опять со мной, они не подвели, оторвали меня от земли, и, значит, я не должен менять свои приоритеты, я не должен менять свое мировоззрение как инструмент познания мира, у меня есть мои старые добрые лыжи, которые дадут мне возможность взлететь.

Традиции менять нельзя, категорически нельзя, можно обучиться новому, но оставаться самим собой. Да, сначала было тяжело, почти не было снега, но его становилось больше и больше, и я взлетел. Если рассматривать все с точки зрения моего участия в проекте, да, вначале было сложно, очень сложно, это действительно тяжело, как тяжело идти на лыжах по земле. Ну что ж, будем ждать настоящую зиму и много-много снега — и взлетим!

Была еще интересная деталь, мелкий штрих, еле уловимый. Полет в сторону запада, а такое ощущение, что на восход солнца, чуть южней от курса. Сон есть сон. Там бывает все иначе. Но восход солнца на юго-западе, еле заметный, дрожащий белый свет. Это уже не моя фантазия. Это точно знак. Но что он означает? Ну, раз знак был, я узнаю, рано или поздно, но узнаю.

Вот интересно, на какой день придется финал проекта? Эта мысль пришла ко мне после сна.

То, что я сдам экзамены успешно, я понимал. Сон окончательно развеял все мои сомнения. Мысль о финале возникла неслучайно. Она просто являлась продолжением сна. У съемочной группы должен быть какой-то график, и они точно знают, когда будет финал, последний эфир, когда будет подведен итог трехмесячного марафона.

Не забыть бы задать этот вопрос, не забыть! Если у меня будет дата финала, я смогу ее рассмотреть и через интуицию, и через китайскую науку. Мирозданию нужна конкретика. Будет дата — будет вопрос и, надеюсь, будет ответ!

В таком замечательном настроении я отправился на очередной экзамен, в центр зала станции «Войковская», где меня ожидали представители съемочной группы, как всегда, с загадочными лицами. И уже с вопросами относительно собственных персон. Они тоже люди.

История с Антоном немного выбила меня из колеи. Оказалось, что непросто работать с этими мертвыми энергиями. Они останавливают все движение вокруг. Напрасно я решил для себя, что эти вещи мне не опасны. Утром, перед тем как идти на испытания, я по привычке, которая появилась еще в детстве, попытался прилепить к ладони ложку, маленькую чайную ложку, которая, как правило, прилипала к руке, как к магниту, независимо от того, из какого металла ложка сделана. В это утро она не прилипла. Я взял ручку — такой же эффект. Мой индивидуальный индикатор не работал. Странно, конечно. По всем характеристикам — день мой, а сил нет. В другой раз я бы огорчился, но приснившийся сон отбросил все сомнения: все будет хорошо, выпадет снег, много снега, и все будет хорошо.

Впервые за все экзамены я пошел первым. Было пройдено уже много испытаний и так получалось, что я всегда шел ближе к вечеру или вообще последним, а сегодня сразу, сходу, с корабля на бал. И опять я не вижу Оксаны! Она опоздала на работу! Вот ведь как привык, а нельзя! Нельзя привыкать. Нельзя из человека делать кумира. И еще знак. Знак большой скорости, но я его не понял. Я попал под энергетику спешки, и меня понесло, как щепку по бурной реке.

Задание не отличалось особой сложностью. Не было какой-то глобальной ответственности, как накануне. Нужно было подойти со спины к людям, которые сидели на барных стульях, выстроенных в один ряд, и определить, кто из них был в плену. Я мог видеть только их затылки. Я не мог посмотреть им в глаза и говорить с ними.

Ошибка была в тактике. Я подходил к каждому из сидящих людей, мысленно задавая вопрос, был ли он в плену или нет. И не получал ответа — ни да, ни нет. Никаких изменений в ощущениях.

Только одна девушка «показала» какое-то едва уловимое изменение. Я поспешил, я очень поспешил, но что сделано, то сделано: девушка повернулась, и моя ошибка стала видна. Девушка не скрывала своих эмоций. Она была откровенно рада моей ошибке, и это меня несколько огорчило. Молодая девушка, которая была в плену, сидела через одного человека. Я увидел ее глаза. Молодая и взрослая. Даже без всякой интуиции можно было определить по крайней мере то, что она испытала сильнейший стресс в жизни. Вероятно, именно поэтому организаторы программы развернули людей спиной.

Экзамен не сдан, оценка «неуд». Не торопись! Не торопись даже выяснять дату финала, иди и работай! Хочешь знать все? Работай. И думай, всегда думай, что каждый экзамен — последний! Иначе будет как сейчас! Но мысль о дате финала все же сильно засела в моей голове.

Я вышел с площадки и, пока с меня снимали микрофон, увидел Дарью, линейного продюсера.

— Вы не знаете, а когда финал? Когда будет эфир, подводящий итог экзаменов?

— Экзаменов? Вы рано еще спрашиваете об этом, ведь не все испытания пройдены, и не факт, что вы будете присутствовать.

— Я буду стараться, я очень буду стараться. И все же я понимаю, что существует жесткий график и вы стараетесь уложиться в него.

— Да, график есть, и мы пока укладываемся. Если ничего непредвиденного ни с кем не произойдет, как, например, то, что случилось с вами в начале проекта, финал будет 14 декабря.

Спасибо, Дарья! Я запомнил. 14 декабря 2008 года. В этот день будет эфир программы. В этот день вся страна узнает имя победителя.

Я первым зашел на экзамен и первым вышел, времени теперь очень много, и есть возможность отправиться в музей. Да, я с детства люблю музеи. В моем родном Троицке тоже был музей, и мой первый визит в него был просто потрясающим в плане полученных эмоций! Никогда не забуду этого очарования старинных вещей, каждая из которых имела свою историю. Это была часовая школьная экскурсия. Музей располагался в храме Александра Невского, красивейшем здании, по воле властей ставшем местом экспозиции. Меня поразили экспонаты музея: и древний сарматский воин, выкопанный из кургана, и оружие казаков оренбургского казачьего войска, и пожелтевшие листовки времен революции, и многое, многое другое, чего невозможно увидеть в обычной жизни. С таким же предвкушением, какое я испытывал в детстве, я вошел в здание Исторического музея на Красной площади.

В вестибюле я увидел плакат с информацией об экспозиции терракотовых воинов из Китая. Ого, какая удача! Мое огорчение от провала на экзамене было моментально забыто! Терракотовые воины. Впервые о них я узнал из журнала «Наука и жизнь», в коротенькой заметке, году так в семьдесят пятом. Тогда, я точно помню эту свою эмоцию, я очень сожалел, что никогда не смогу увидеть эту терракотовую армию, но желание мое было сильным, и вот она — реализация. Сейчас я увижу то, о чем мечтал много лет назад!

Я медленно вошел в зал. Скорость моя снизилась как-то автоматически. Двести лет до нашей эры. Вот они, воины, стоят и смотрят на меня из прошлого. Нет ни одного одинакового лица, ни одного. Все они — точные копии реальных людей, тех людей, которые жили в прошлом, и, возможно, один из них — мой предок, а я его прямой потомок. Вдруг я вспомнил того старика с синими глазами, старика из моего сна, который дал мне жезл. Да, он очень похож на этих воинов. Но тогда, во сне, я подумал, что старик старше трех тысяч лет. Да, он был значительно старше этих скульптур, теперь я точно это понимаю.

Я разглядывал их всех, их лица, их одежду, их позы. Они все были разными: кто-то обладал властью, кому-то абсолютно не шла эта военная амуниция, и я понимал, что передо мной человек, по крови своей земледелец, волею судьбы взявший в руки оружие. Были по-настоящему свирепые личности, от действий которых не одна человеческая душа отправилась на небеса. Я не испытывал дискомфорта, я был счастлив оттого, что мое любопытство удовлетворено, и сегодня я вернусь домой и перечитаю все, что связано с этой китайской терракотовой армией. Мне даже нравится само слово — терракота!

Читая китайские трактаты, я раз за разом поражался наблюдательности, правильному пониманию и трактовке вещей людьми, жившими за пять тысяч лет до меня. И вот, глядя на глиняные скульптуры, которым не менее двух тысяч лет, на то, как они сделаны, с каким мастерством, с какой аккуратностью и точностью, с выражением мысли на каждом лице, я подумал, что и тогда, и сейчас все идет по одним и тем же законам, законам гармонии во Вселенной, и письменный источник знаний об этой гармонии я лично получил из Китая.

Учиться надо у прошлого! Пожалуй, это главное, что я вынес из музея. Учиться надо у прошлого. Когда еще понятие «свой — чужой» имело решающее значение, когда черное было черным, белое — белым, а терракотовое — терракотовым! Все, практически все, что с нами происходит, все это уже происходило! То, что мы считаем новым, уже было! Было с одним из наших предков! У меня, у вас, у каждого из нас есть колоссальный опыт прошлых поколений, и именно поэтому учиться надо у прошлого! Надо только вспомнить!

Я вернулся домой и не теряя ни секунды открыл ноутбук. Мне нужен китайский календарь. И меня интересует только одна дата: 14 декабря 2008 года. Календарь дает расчет на территорию срединного Китая. Надо сделать корректировку с учетом моих координат. Так. Исходя из просмотра предыдущих программ, объявление результатов происходит в двенадцать часов ночи. Российские двенадцать часов ночи, это вам далеко не китайские. Время есть зимнее, летнее, декретное. Все это надо учесть и вычислить с максимальной точностью. Ввожу цифры 14.12.2008 и глазам своим не верю... В покере это называется каре тузов! Вот это комбинация!

Я еще не знаю точно, но у меня есть ощущение, что это большая редкость. Каждый час, день, месяц и год в китайском календаре имеет свое значение. Китайцы решили давать этим временным структурам, в зависимости от их энергетики, названия животных. Я наблюдал каре крыс. Результат в эфире будет объявлен в день земляной крысы, в сезон водяной крысы и в год земляной крысы — мороз, как будто мне за шиворот опустили кусок льда.

В каком-то трансе я смотрел на экран монитора. Это не мое решение — объявлять результат в этот день. Я всего лишь хотел выиграть. На момент постановки задачи я и знать не знал о китайской науке, я просто очень хотел выиграть, это был мой долг, я не оставил себе пути к отступлению, делал и делаю все для того, чтобы победить себя и, как оказалось, во время этой борьбы пройти курс специальной подготовки. Специальной подготовки для чего?

Так, стоп, хватит! Для чего — разберемся позже, а сейчас передо мной дата, которая может быть в жизни только один раз, и она приходится на тот самый решающий день, когда будет оглашен результат. Я рожден в час водяной крысы и в год металлической крысы — посему энергия этого дня будет мне максимально благоприятствовать. Невероятно, но это так.

Я привык доверять себе, но доверять какому-то календарю, созданному несколько тысяч лет назад и переработанному сейчас в компьютерную программу, мне было сложно. Ведь в нем есть логика, а я всегда считал ее своим врагом. Я пускал свою логику по следу интуиции, но никогда она не шла впереди! Однако льдина между моих лопаток и озноб говорили об истине. Впрочем, я не собирался сидеть и ждать этого распрекрасного дня. Впереди есть еще несданные экзамены, и, несмотря на сегодняшнюю неудачу, уверенности в себе я не потерял. Эти цифры на мониторе мерцали таинственно и очень обнадеживающе.

17.

Телефонный звонок оторвал меня от компьютера. Звонила Светлана Петровна Есенина.

— Саша, доброе утро, смотрю тебя по телевизору. Молодец, все хорошо получается. Как ты? Устал, вероятно? Я не представляю, как ты это делаешь под софитами. Я там немного совсем побыла, и то голова разболелась.

— Я уже привык, Светлана Петровна, практически привык. Не волнуйтесь, Светлана Петровна, все хорошо.

Я был рад оценке этой необычной женщины.

— Саша, я чего звоню-то, если есть время сегодня, давай встретимся на Ваганьковском, а то потом морозы начнутся, да и тебя на части рвать начнут, я точно это знаю. Меня уже все мои знакомые спрашивают про тебя.

День у меня был свободный. Еще ни разу не было так, чтобы испытания шли два дня подряд. Мы договорились на четырнадцать часов.

Я никогда не был на Ваганьковском кладбище. Я вообще не был ни на одном из московских кладбищ, за исключением Красной площади. То, что в центре столицы располагается самое настоящее кладбище, было для меня неприятным. На кладбище должно быть тихо. Нормальное состояние покойника — покой, а не речовки, митинги, фотосессии и свадебные кортежи. Все должно быть гармонично: из музыки — похоронный марш и пенье птиц, из слов — слова молитвы. И этого достаточно. Ни радости, ни грусти.

Кладбище в центре города — это презрение к ушедшим. Ну, когда-нибудь мои желания и в этой части будут реализованы. Я нисколько не сомневаюсь.

Я приехал немного раньше назначенного времени. Я бродил по дорожкам, между могилами и рассматривал памятники, они были разные: красивые, и их можно было назвать произведениями искусства, и простенькие, одинаковые. Были очень ухоженные могилы, а были — забытые, заросшие и никем не посещаемые, и даже смотрители этого печального места на них мало обращали внимания.

Могилу поэта я нашел по указателям — хорошо сделали, поклонники таланта не будут блуждать и терять драгоценное время. Я остановился метрах в двадцати. Две девушки, тепло одетые, в зимних пальто и шапках, фотографировали друг друга на фоне памятника Есенину. Приезжие. Москвички так не одеваются. Девушки были серьезные и преисполненные скорби. Наверное, они любят стихи Сергея Александровича, раз пришли сюда. Мне никак не понять людей, фотографирующихся у могил. Неужели все так плохо с интуицией? Но если ты понимаешь Есенина, с интуицией должно быть все нормально. Значит, они не понимают поэта, значит, им просто сказали: «Есенин — это наше все». А дай-ка спрошу!

— Девушки, добрый день, издалека?

Девушки уставились на меня, и я на физическом уровне услыхал шелест их мыслей. Так шелестят таблички с маршрутами поездов в автоматических справочных вокзалов.

— Из Ижевска, вот приехали Москву посмотреть, а вы артист?

Артист? Еще какой, подумал я, и улыбнулся. Девушка, поменьше ростом и побойчей, рассматривала меня и вспоминала кино, в котором могла меня видеть.

— Нет, я не артист, просто похож. Ну и как, что видели?

— Ой, так интересно все, мы на Арбате были, на могиле Высоцкого уже побывали, сейчас вот Есенина посмотрели. Жалко, времени мало, вечером уже поезд. Нам очень все понравилось, в Ижевске такого нет.

Девушка выпалила это на одном дыхании. Да, в Ижевске такого точно нет.

— А хотите, я вас с племянницей Есенина познакомлю? Она сейчас подойдет сюда, — я посмотрел на телефон, — минут через пять-семь.

Девушки удивленно вскинули глаза.

— Нееет, зачем, нам только фотографию, мы уже все, мы торопимся. А вы точно не артист?

— Да не артист я, не артист. Ну ладно, всего доброго вам.

Девушки пошли по аллее кладбища, мимо могил известных и не очень известных людей, с чувством исполненного культурного долга и с предстоящими рассказами о том, как они были в Москве и что там видели.

Светлана Петровна пришла ровно в четырнадцать часов. В ее пунктуальности я нисколько не сомневался. Мы обнялись, как старые знакомые, я действительно был очень рад ее видеть, и она меня тоже.

— Ну что, Саша, что скажешь?

— А я пока не смотрел, тут две барышни фотосессию устроили. Я не мешал им.

— Ну, походи, посмотри, мне очень важно, что ты скажешь.

Я стоял перед могилой, над которой возвышался памятник. Я не готовился и специально ничего не читал про поэта. Я знаю про него только то, что проходил по школьной программе, я знаю его стихи и песни, написанные на его слова, и еще я знаю, что он не самоубийца. Я держал в руках его вещи, его рукописи и красивую шкатулку, что подарила императрица. Этого уже было более чем достаточно. Но что сейчас я должен почувствовать? Что увидеть?

Я не знал, с чего начать. Я смотрел на памятник и просил: ну скажи, что надо мне сообщить твоей племяннице, ей, так ждущей моих слов. Или твоих? Я закрыл глаза и слушал. Памятник молчал. Молчало все, и от этой тишины у меня возникло ощущение какой-то тотальной пустоты, как будто я стою в огромной белой комнате, в которой не видно стен, и, кроме меня, в этой комнате никого нет. «Его здесь нет». Оказалось, я проговорил это вслух.

— Что, что ты сказал? — Лицо Светланы Петровны напряглось, ее светло-зеленые глаза стали просто изумрудными.

— Его здесь нет.

Холод обдал меня с головы до ног. Меня основательно встряхнуло.

— Поедем к нам, отогреешься, я смотрю, ты совсем замерз.

В машине Светлана Петровна долго молчала, уже перед домом она повернулась ко мне.

— Что ты видел?

— Я видел какую-то бескрайнюю комнату с белыми стенами, я знал, что стены есть, но они были так далеко, что только угадывались. Но его я не видел.

Мы поднялись в квартиру, Светлана Петровна налила мне чаю, а сама закурила свою «Приму». Она сделала глубокую затяжку и затушила сигарету.

— Я много лет добиваюсь эксгумации. Я не могу пробить эту стену. Когда умер Сергей Александрович, на похоронах, вот на том самом месте, на кладбище, была вся моя родня, и бабушка, Татьяна Федоровна, и моя мама, Александра Александровна. Она тогда уже достаточно взрослой была, пятнадцать лет ей было, и она очень хорошо все запомнила и мне рассказала, как все происходило. Сколько было народу, кто что говорил, как батюшка отпевал, все в деталях, в цвете, все очень подробно рассказывала. Когда пришло время хоронить мою бабушку, Татьяну Федоровну, моей маме было сорок четыре, а мне семнадцать. Было принято решение похоронить бабушку рядом с сыном. Места было немного, и могилу копали впритык к могиле Сергея Александровича, очень близко. Когда опускали гроб, часть края могилы обвалилась, и обнажился гроб из соседней могилы. Моя мама тогда только мне сказала, что она увидела. Гроб был другой. Она хорошо помнит тот гроб, в котором хоронили Сергея Александровича. Гроб был другой, и кто в нем, я не знаю. Так что ты все правильно увидел. Нет его там. Нет.

Светлана Петровна принесла толстенную папку, набитую документами, там была и личная переписка родственников, свидетелей событий, там были оригиналы уникальных документов в виде опросов свидетелей, там были настоящие фотографии места происшествия, какие-то справки и счета, финансовые расписки и заключения медицинских экспертов, чего там только не было.

— Я занимаюсь этим расследованием практически всю свою жизнь, но, видимо, и ее не хватит. Кто-то очень не хочет, чтобы эта тайна была раскрыта. Я не хочу никого обвинять, я только хочу, чтобы прозвучало одно: он — не самоубийца!

Она достала фотографию. Похороны. Стоит батюшка и еще несколько представителей духовенства. Они отпевают ушедшего.

— Ну посуди сам, двадцать пятый год, служба по всем канонам! Все родственники уверены, и об этом говорят их письма, и как в какую-то стену! Ответ однозначный — нет!

— Светлана Петровна, но то, что я вижу и чувствую, не будет иметь никакого влияния на принятие решения! Если игнорируются реальные факты, подтвержденные реальными документами, что же говорить о вещах неосязаемых?

Светлана Петровна закурила очередную сигарету. Она смотрела на меня в упор. Ох, какой же у нее жесткий взгляд!

— Ты знаешь, для чего я тебя нашла? Для себя! Чтобы мне хотя бы лично быть уверенной в этом. Я всегда это чувствовала и знала, но мне нужна была еще одна точка зрения. Извини, что я тебе устроила проверку, но уж очень важно мне было знать, что ты сможешь разобраться. Я не знаю, как я использую твои слова, по крайней мере они говорят, что я на правильном пути.

Возвращаясь домой, я думал о Есенине. Ведь ему было всего тридцать. Тридцать лет и вечная любовь миллионов. Христу было тридцать три. Все, кто повел за собой миллионы, были удивительно молоды. От старых не приходится ожидать свершений, опыт для них является сдерживающим фактором, ограничивающим свободу. Если бы Есенин был несвободным, разве смог бы он так написать о воле? Нет, это было убийство! Плановое, скрупулезно продуманное и хладнокровное убийство, совершенное по всем правилам конспирации и запутывания следов! Это была целая операция! Я приеду и посмотрю китайскую грамоту. Что скажет древняя наука об этой дате?

Помня свой недавний опыт с камнями, первым делом я пошел в душ. Вода — она нужна мне не меньше воздуха. Тридцать минут под проливным дождем, и я снова в форме. Я обещал Светлане Петровне рассмотреть кандидатуры реальных заказчиков, а возможно, и исполнителей. Я помнил, что моя основная цель сейчас другая, но отказать не мог. Интуиция говорила мне, что времени у Светланы Петровны в обрез, и когда она сказала, что, возможно, ее жизни не хватит, холодок-то пошел, пошел. Она нездорова, держится исключительно на собственной воле и еще вот на этом своем желании поставить точки над «i».

Я просмотрел множество фотографий из папки, предоставленной мне Светланой Петровной, но остановился только на одной из них: как же мне в тот момент стало нехорошо. Я работал по тому же двоичному коду. Кто убил Есенина? Да — нет. Но вот я беру одну фотографию, и мне резко становится нехорошо. На обороте фотографии — надпись. Я не буду называть это имя. Даже сейчас это опасно. Я скажу его Светлане Петровне, она наверняка думает о нем же. Набрав это имя в поисковике, я был удивлен. Он оказался фактически легендарной личностью, руки которой были по локоть в крови, и я уверен, что в крови Есенина тоже. Убийца был опытный, он уже убивал таким образом и так же инсценировал одно свое деяние под самоубийство. Интересно, почему эта личность не попадалась мне раньше? Ведь я достаточно много читал, но нигде, ни в одной книге, он мне ни разу не попался, а тут целый вечер я изучаю его биографию, понимаю, какое это вселенское зло, и мне крайне неприятно этим заниматься, мне кажется, что я сам весь измазан кровью.

Я аккуратно сложил фотографии в папку и опять пошел в душ. Сейчас мне нужен был даже не дождь, а водопад, и он был в моей копилке эмоций, водопад, под которым я стоял, трясясь от холода в жаркий июньский полдень, пробежав перед этим километров пять по сопкам, с полной боевой выкладкой. Когда тебе девятнадцать, холодная вода не страшна, зато воспоминаний на всю жизнь, и иногда они бывают просто необходимыми. Вода отбила грязь, и мне стало намного легче.

Ну что же, теперь я понимаю, почему в этой истории стоит стена. Это не просто стена, это один из камней фундамента, на котором зиждется многое, в том числе и мавзолей вождя.

Мне надо поставить точку. Пока не решу главную задачу, мне надо остановиться. Я понимаю, что все происходящее в данный момент приведет меня к чему-то большему, чем та цель, к которой я стремлюсь. Я задумался: что-то не так, ведь, уходя от основной задачи, я не прекращаю борьбу с самим собой. Напротив, я ее усиливаю. Но мой внутренний диссонанс состоит в том, что то, что я делаю за пределами съемочной площадки, оказывается на порядок важнее того, что я делаю под софитами.

Эта мысль была неожиданной. То ли душ так подействовал, то ли произошла какая-то сверхконцентрация энергии. Понимание того, что я всего лишь в начале пути, было настолько ясным, и то, что моя, как мне казалось, цель — это всего лишь линия старта, и я еще только иду к ней, поразило меня до глубины души. Похоже, это все было всего лишь тренировкой. Возможно, вся моя жизнь, весь мой опыт — это всего лишь тренировка перед чем-то важным, и старт этот не будет забегом на короткую дистанцию, это будет марафон не на год и не на два. И вторая мысль. Она была еле уловимой, практически ее и не было. А ведь промежуточную задачу я выполнил, я сдал себе этот экзамен. Я себе никогда так не доверял, как сейчас, и у меня лучшая форма за все время, и она будет только улучшаться!

Такое резюме в конце длинного дня подействовало на меня лучше всякого снотворного. Я выключил компьютер, сказал своим парням, чтобы особо не шумели, и лег спать. Спал я, как младенец, которого хорошо накормили, — впервые за три месяца я проспал полных восемь часов, и снились мне какие-то хорошие сны, которых утром я не помнил.

18.

Станция метро «Сокол». В вестибюле встречает представитель съемочной группы и вопреки обычному режиму секретности рассказывает о задании, которое надо будет выполнить. «Мы сейчас немного пройдемся и сядем в машину. Потом вас отвезут на точку. Ваша задача — остановить в потоке машин нетрезвого водителя».

Мы шли минут десять, и у меня было достаточно времени для того, чтобы продумать, как его найти. Холодный порывистый ветер и минус десять. То, что минус десять, меня не пугало, но если придется работать руками, то ветер — это серьезное препятствие. Ветер, поток воздуха будет оказывать давление, и это давление я могу воспринять как изменение сигнала. Сначала нужно продумать стратегию. Человек, которого надо остановить, не будет испытывать страха и тревоги. Он участник действия, а не человек с улицы. На страхе, как ловятся настоящие нарушители с алкоголем в крови или контрабандисты, его не поймаешь. Эмоцию страха я знаю хорошо, но здесь эта эмоция ни к чему. Какую эмоцию должен испытывать человек, участвующий в эксперименте? Если бы я был в этой роли — только любопытство и его маскировка. Назовем это неким подглядыванием. Организаторы наверняка дадут ему инструкцию не смотреть на меня. А это сложно. Все же он будет сниматься, будут камеры, будут люди, буду я, в конце концов.

Надо вспоминать, есть ли у меня набор подобных эмоций в памяти? Это должно выглядеть так: мне страшно интересно, но я делаю вид, что меня это не интересует. Сложная эмоция. Я не умею делать вид, если мне интересно, я себе шею сверну, но буду смотреть.

И тут я вспомнил тот случай из студенческой жизни, когда девушка ранним утром по ошибке зашла в мою комнату и скинула халат. Да, тогда примерно так и было! Рефлексы разворачивали меня в ее сторону, а воля удерживала на месте. Надо вспомнить в деталях. Правда, там был еще эффект неожиданности, а здесь ничего неожиданного для водителя не будет, он все знает заранее, и тем более, если я пойду не первым, он уже привыкнет, но любопытство все равно никуда не денешь, ему же интересна моя реакция.

Хорошо, что у меня было время. Я вспоминал еще и еще раз то событие из прошлого, конкретные две минуты моей жизни. Мне удалось даже вспомнить галстук, который я повязывал себе на шею в тот момент. Я даже вспомнил, что это был мой любимый галстук, и подарил мне его муж моей сестры Олег. Этот галстук и сейчас в отличном состоянии, потому что я ни разу в жизни не оставил ни один галстук с завязанным узлом. Этот предмет моего гардероба вывел меня на нужную эмоцию. Вот, вот, что я должен чувствовать! Самоограничение, запрет на любопытство! Запрет на желание видеть!

Я пошел не первый и смог согреться в теплой машине. Сформулировав задание, я даже уснул. Проснулся от стука в окно. «Александр, пойдемте». Я пересел в другой автомобиль, и меня отвезли на точку. Там уже стояли установленные камеры. На меня надели микрофон и подвели к машине инспекторов дорожного движения. Ведущий в присутствии двух сотрудников милиции озвучил задание, о котором я уже знал.

— Вы определяете транспортное средство под управлением нетрезвого водителя, а сотрудники по вашей команде останавливают его и проверяют на приборе. То, что водитель будет иметь превышение установленной нормы содержания алкоголя в крови, я вам гарантирую. Вы готовы? По моей отмашке вы приступаете к выполнению задания.

— Да, я готов.

Я встал на обочину дороги. Это Москва, и это не самая маленькая ее улица. И машин более чем достаточно. Средняя скорость — километров сорок в час. Ледяной ветер обжигает руки. Но надо про него забыть, эмоция будет отличаться от холодного ветра, екнет где-то в груди, а не в ладонях. Сигнал опасности был у каждого второго водителя. Это реакция на стоящих рядом со мной гаишников. Но вот я ощутил взгляд. Острый и жесткий. Он рассматривает меня метров за двести, он на светофоре. Он знает, где я стою, и сейчас рассматривает меня. Потом он просто проедет мимо, рассматривая меня до тех пор, пока расстояние позволяет ему быть неузнанным, ну по крайней мере он так думает. Так, желтый, зеленый, поехали.

Да, он среди этих машин. Теперь только не прозевать того, кто в напряжении. Вот, есть, кажется «Шевроле». Вскидываю руку. Стоп. Крепкий паренек, очень спокоен. Он, несомненно он. Прибор показывает содержание алкоголя. Гаишники с удивлением смотрят на меня, ведущий говорит, что, вероятно, просто совпадение. Этот его маневр меня несколько озадачил — как совпадение? Было задание, вот — человек. Я стал немного заводиться. Что за провокация!

— Я прошел испытание?

— Да, вы прошли, конечно, но это как-то невероятно.

— Все, что вы устраиваете, все связано с невероятностью, что вас смущает?

До меня вдруг дошла мысль, что я один сдал этот экзамен.

— Александр, а давайте еще раз? Да, вы прошли испытание, но все же — давайте еще один раз?

— Хорошо. Давайте дубль.

Меня уже потряхивало на ветру. Я залез в милицейскую машину. И стал отогреваться. Так, я же что-то видел перед этим во сне. Машина, черная «Мазда». Меня разбудили и сон улетучился, а сейчас я его вспомнил. Черная «Мазда». На подготовку у команды ушло минут пятнадцать-двадцать. Все, как в первый раз: отмашка, мотор. Себе надо верить. Машины шли, а я искал среди них черную «Мазду». И нашел, она ехала в крайнем правом ряду. Я указал на нее. Да, точно! Аплодисменты.

Инспектор ГАИ предложил мне устроиться к ним на работу или хотя бы просто пару часов в день помогать им на дорогах Москвы. Мы разговорились.

— Да, действительно, когда задерживаешь нарушителя, допустим, человек забыл права и знает об этом, или человек вчера немного выпил, то мы их каким-то образом определяем, не знаем каким, но определяем.

— Вы просто работаете на интуиции, на определении эмоции страха. У нас у всех есть способности, и если ты на своем месте, они максимально раскроются.

Никогда бы не подумал, что это испытание будет мне полезным. А оно оказалось даже очень полезным! Позже, когда я уже сам ездил по Москве и России за рулем, я экономил кучу времени и нервов и, возможно, денег, когда инспекторы дорожного движения узнавали меня и вместо документов просили автограф, при этом почему-то большинство из них говорили, что их жены — мои поклонницы и они не поверят, и поэтому для достоверности нужна еще совместная фотография.

Интересный случай был однажды, когда в тоннеле в районе Сухаревки меня атаковал водитель на «Жигулях», приехавший в Москву из какой-то южной республики. Я был пристегнут и смотрел по сторонам, именно поэтому его внезапная атака не осталась незамеченной: я крепко держал руль и моя машина осталась на своей полосе движения во время бокового удара. Никто не пострадал, ни я, ни водитель, который меня таранил.

В тот момент я понял, что был для него спасением — я остановил его без ущерба для чьего-либо здоровья, но ему этого было не понять, он был страшно расстроен. Он сидел в своей «Ладе» и с огромным недоумением наблюдал, как приехавшие на место аварии сотрудники ГИБДД фотографируются со мной на фоне своего служебного автомобиля. Парень решил, что его жизнь в Москве закончилась, но я его успокоил, сказав, что мой автомобиль застрахован, а я просто понравился сотрудникам милиции, и они решили со мной сфотографироваться.

— А ты, вероятно, им не очень понравился.

— Да, да, наверное, я им не понравился.

Мне показалось, что он даже несколько сожалел об этом.

Осталось всего две недели до финала. Шел снег, было морозно, и все это делало меня сильнее. Люблю зиму. Мне стало очень комфортно в замерзшей Москве. Город принял меня, его жители здоровались со мной и улыбались, а я в ответ улыбался им. Известным быть приятно. Мне нравится. Я думаю, что это нравится всем, не все просто могут себе и людям в этом признаться. Как часто я читал в интервью известных людей о том, как им сложно быть популярными. Пока сам не стал известным, не задумывался. Сейчас, когда меня знают многие люди, эти слова мне представляются большой ложью. Это так здорово — быть популярным!

Как-то мне нужно было почистить костюм в химчистке. Девушка, не глядя на меня, приняла заказ и сказала, что послезавтра все будет готово.

— А можно немного ускорить процесс? Очень надо.

Я смотрел на ее макушку. У меня единственный костюм, и он может понадобиться в любую минуту. Девушка подняла глаза.

— Александр!

Она просто сияла. И я сиял! Потому, что она была искренней в своих эмоциях. Мой чистенький костюм выдали в тот же день. Ох, сколько еще раз люди шли мне навстречу! Жить стало легко. Легко потому, что люди стремились помочь, подсказать, посодействовать. Я никогда не представлялся и не говорил, что я тот самый человек из телевизора, в этом не было необходимости, они сами меня узнавали.

Однажды поздно вечером я возвращался домой на метро. В вагоне было несколько пьяных парней, и вели они себя довольно вызывающе. Они никого не задевали, но их манера поведения больше походила на провокацию, и в какой-то момент один из них достаточно громко выругался матом. «Молодой человек, закройте рот». Я сказал это громко и четко. В этот момент мне показалось, что даже колеса поезда покатились на полусогнутых, тихо-тихо. Пьяная компания разглядывала меня, а я смотрел на них.

У меня когда-то уже был такой опыт усмирения пассажиров в автобусе — таким же поздним зимним вечером я ехал в автобусе и точно так же несколько молодых наглых и дерзких ребят шокировали пассажиров. Так получилось, что у меня в полиэтиленовом черном пакете лежал топор, который полчаса назад я заточил на станке до состояния бритвенного лезвия. Приближались новогодние праздники, и была необходимость нарубить мясо, обычные дела. Я знал, что у меня в пакете топор, а парни этого не знали, но, оказывается, моего знания было более чем достаточно. Эти ребята прочли что-то такое в моих глазах, что заставило их замолчать и на первой же остановке покинуть автобус. Я помню такую же гнетущую тишину и желание пассажиров исчезнуть.

Ситуация повторялась, но у меня не было ни пакета, ни топора. Была только эмоция, рожденная в том автобусе, но существующая здесь и сейчас.

Я смотрел на них и видел, как меняются их лица. Они не знали, что делать. Их агрессия была просто раздавлена моей эмоцией. Один из них вдруг улыбнулся. «А я вас по телевизору видел». Этой фразы было достаточно, остальные как-то облегченно выдохнули, и опять колеса метропоезда весело застучали по рельсам, а мимикрирующие под цвет сидений пассажиры опять стали видимыми.

19.

Проснулся я в хорошем настроении. Сон был коротким, но очень ярким. Он был каким-то фрагментарным, каким-то кинематографичным, клиповым.

Эпизод первый: крупным планом красивый шелковый ковер. Эпизод второй: вижу себя со стороны, сидящим в кресле горчичного цвета. Эпизод третий: опять ковер, и на ковре голубоглазый кудрявый мальчик, он играет какими-то машинками. Эпизод четвертый: акцент на солнечный луч, под который попадает и ковер, и мальчик на нем. Состояние счастья и тревоги. Очень яркий сон. Пытаюсь вспомнить детали. Были игрушечные машинки. Вспоминаю, что за транспорт и сколько его. Красный автобус, синяя машинка-кабриолет, белый поезд и самолет.

Ничего не понимаю, но сон не забуду. Я это точно знаю. Возможно, он вылетит на время из головы, но я его вспомню. Такое уже бывало не раз. Сон всплывал в моей памяти внезапно, и я даже помню свои утренние мучения, когда пытался его вспомнить. Позже происходит какой-то сдвиг в природе, и сон открывается. Так и будет.

А вот почта принесла ужасное письмо. У девушки убиты мать и отчим. Смогу ли я помочь? Девушка готова приехать в любое время. Письмо я открыл, как всегда, по принципу «да — нет». Ответ был «да». Запрашиваю исходные данные, имена и даты рождения всех родственников и подозреваемых. Получается интересная картина. Интуицию пока не включаю, работаю только по китайской науке. Она говорит, что подозреваемый чист как слеза. Только в отношении этого человека у меня не было сомнений, остальное нужно доставать через интуицию, под стрессом. Стресс — это присутствие самой девушки. Она — экзаменатор, я сдаю экзамен, у меня стресс.

Девушка живет относительно недалеко, восемь часов на поезде. Отвечаю, что могу с ней встретиться, но она должна быть готова в любой момент выдвинуться в Москву. Девушка пишет, что это не проблема, у нее в Москве есть подружка и на три дня она может приехать. Мы обмениваемся номерами телефонов.

Уже после переписки я вспомнил о том, что, может быть, опять потеряю много сил на то, что будет происходить за пределами съемочной площадки. Но эта мудрая мысль пришла уже позже. Я был уверен, что смогу помочь, но не этой девушке, а тому, кого сейчас несправедливо обвиняют.

Меня не покидало ощущение, что мое обучение продолжается. Жизнь, подкидывая то одну, то другую ситуацию, обкатывала меня в разных режимах и готовила к чему-то более важному, чем победа в этом проекте. Победа — это всего лишь диплом. А дальше будет работа, и я должен буду ее выполнить. Но какая это работа, я еще даже не догадывался.

Мне пришла посылка. Ящик коньяка казахстанского розлива прислали друзья из Троицка. Посылка приезжает на международном поезде «Астана — Москва» на Казанский вокзал. И я поехал за ней. Мне уже не удается просто так проехаться в метро и сидеть там с блаженной улыбкой. Меня узнают, и не все люди могут сдержаться. Придется взять такси, чтобы не трястись с ящиком коньяка в метро. Представляю картину: я еду в метро с ящиком в руках, бутылки мерно звякают на стыках, а пассажиры рассматривают меня и ящик. Нет уж, поеду на такси. Перед отправкой посылки мне позвонил старый товарищ и сказал, что, наблюдая мои успехи на ТВ, друзья решили поддержать и направить презент. «Мы в тебе не сомневаемся и, для того чтобы у тебя было, чем отметить победу, посылаем коньяк. Коньяк заберешь у начальника поезда».

Я, как и поезд, прибыл на Казанский строго по расписанию. Начальником поезда оказался крепкий мужчина, который с восточным радушием пригласил меня в свое купе попить чаю. Я не стал отказываться. Казахи есть казахи. Маленький столик в купе был заставлен всем, чем только можно. К моему визиту явно готовились.

— Дорогой Александр, по нашим обычаям… — мужчина сделал широкий жест руками в этом маленьком купе.

— Знаю я обычаи, поэтому чаю попью, но вот спиртное нет, сейчас не то время, да и день не тот.

— Да, да, понимаю. Мне очень приятно помочь вашим друзьям и вам, мы в Казахстане тоже смотрим и следим, вы ведь почти наш. Когда ребята с таможни попросили передать вам посылку, я был очень рад.

Мы попили чаю, сфотографировались, и я отправился домой. Да, я бы с удовольствием выпил несколько граммов водки или коньяка с этим гостеприимным железнодорожником, который не задал мне ни одного вопроса. В последнее время практически любой мой контакт с людьми сводился исключительно к одной просьбе: «Александр, а скажите что-нибудь про меня.» Неважно, кем были эти люди, мужчины или женщины, молодые или старые, русские или не русские, всем им интересно было знать про себя. Этот человек тоже знал, кто я, но он не спросил, за что ему мое большое спасибо! А коньяк я буду пить позже и, как всегда, своевременно.

На выходе из вокзала, проходя сквозь строй таксистов, предлагающих за недорого свои услуги, я выбрал одного из них, молодого парня лет двадцати пяти. Он подхватил мой ящик, и мы пошли к машине. Я не знаю, как я его выбирал, вероятно, по взгляду, который говорил о том, что парень где-то меня видел. Я научился чувствовать этот взгляд и эту мысль. «Где-то я вас видел…» Он никак не мог вспомнить, где видел меня, а я не говорил. Я смотрел на площадь трех вокзалов и вспоминал свой приезд с Женькой, когда ему надо было поступать в университет. Да, прошло уже семь лет, и все у нас сейчас по-другому. Проезжая мимо

Ярославского вокзала, я подумал, что ни разу в нем не был. Надо будет как-нибудь зайти.

Иногда мои желания реализуются очень быстро. Телефонный звонок — и вот, назначено место и время. Место, на котором я был три часа назад! Площадь трех вокзалов. Может, в Ярославль на поезде поедем? Я же хотел посетить этот вокзал. Надо готовиться. Посмотрел в китайский календарь, скорректировал на широту Москвы. Инфантильная, протестная энергетика, связанная с движением без цели. Протест ради протеста. Уровень гравитации будет низкий, интуиция в такие дни всегда на высоте, а моя личная — просто отменная. Мое время. Декабрь 2008 года — это мое время.

Сажусь на спецпитание: только рыба и рис. Опять распахиваю настежь окно в квартире. Душ, отбой и вопрос вслух: «Что за экзамен предстоит мне завтра?» Мне нужен сон, и он приходит.

Я иду по тропинке, к которой очень плотно примыкает высокий камыш. Он стоит стеной, и сквозь него ничего не видно. Я на охоте, у меня ружье. Я чувствую его металл. Это утиная охота. Я подпрыгиваю вверх, пытаясь рассмотреть цель. Нет, горизонт чист. Я слышу, что утки рядом, их много, они крякают то слева, то справа, но я не могу их увидеть. Я подпрыгиваю еще раз и... каким-то образом перепрыгиваю через камыш и приземляюсь на берегу озера. Там плавает один маленький утенок.

Сон интересный, хорошо запомнился. Охота, ружье, камыш, утки, прыжок, утенок.

Приезжаю к назначенному времени на площадь трех вокзалов. Здесь все, как вчера. Сопровождающий отводит меня в подземный переход. В переходе на меня вешают микрофон. Где гример? А, вот и она, получаю заряд энергии в виде тонкого слоя грима, и сразу же команда: «Мотор!» Меня подводят к ведущему. Рядом с ведущим стоит молодой мужчина. Задание следующее: на одном из трех вокзалов спрятался мальчик, вот отец мальчика, вот перчатка мальчика. Выходите из перехода наверх и приступаете к поиску.

Я смотрю в глаза мужчине. Беру перчатку в руки. Лишь бы паренек не закрылся. Для него это шоу и все страшно интересно. Он должен звучать громко — детская энергетика во время роста организма очень сильная. Поднимаюсь на поверхность и начинаю определять один из вокзалов, хотя сон помню и мысль вчерашнюю помню, что неплохо бы на Ярославский зайти, но все равно перепроверю себя. Ярославский отзывается холодом, севером. Собираю в кучу сон и изменение в ощущениях. Иду на Ярославский. Уверен, мальчик там. Иду по прямой, упираюсь в стену. Пытаюсь прекратить дыхание, закрываю глаза. Темный силуэт ребенка на белом фоне. Он там, внутри, в белом помещении. Но как его найти?

Перед входом в вокзал останавливаюсь и берусь за ручку входной двери. Сначала нужно снять критичность всех, кто находится внутри. Это мой метод, я сам его разработал, прикладывая руки к стенам и задавая им вибрацию и мыслями, и голосом, чтобы соответствовать энергетике помещения, чтобы не быть пятым, никому не нужным колесом в телеге, чтобы нравиться тем, кто внутри. Это очень важно нравиться людям! Охота, камыш, утки, прыжок, утенок. Охота уже есть — это сам поиск, охота — это всегда поиск. Ружье, металл, железо — железная дорога, тут вроде все бьет. Утенок рядом, но камыш не дает, стеной стоит.

Захожу вовнутрь. Огромный зал и множество пассажиров, их голоса складываются в какой-то общий гул, и на этом фоне проскакивают отдельные слова и фразы. Впереди лестница вверх. Сигнал с северо-востока. По направлению эскалатора. Это прыжок? Подняться, а потом спуститься? Сигнал идет параллельно земле, вверху его нет. У меня еще есть время, поднимусь и сверху попробую отследить. Охота на утенка. Наверху тишина — нет его здесь, он на первом этаже. Иду довольно быстро, все время боюсь, что связь оборвется, хотя уверен, что найду. Он где-то рядом, внизу. Что там, слева от меня? Широченная лестница, ведущая вниз. Но прохода нет: поперек лестницы стоят вокзальные скамьи, на них расположились пассажиры. Сидят как ни в чем не бывало, ждут свои поезда.

С любопытством разглядывают меня и оператора, который все время рядом. Рассматривают все, кроме одного мужичка в беретке — он сейчас просто лопнет от любопытства. Съемка тоже может вызвать любопытство, но это любопытство спрятанное. Он явно что-то знает, но виду не подает. Не артист, нет.

Смотрю вниз — справа белая пластиковая будка. Он там. Беспокою пассажиров, отодвигаю скамью и спускаюсь вниз, к будке. Да, по-другому сюда не попасть, только прыжком через лестницу. Вот он, этот плёс и этот утенок. Утенок в черной куртке. Выглядит младше своего возраста. Да, энергетика у паренька, как у вечного двигателя, на месте ему не усидеть. Еще года три-четыре и будет путешествовать без уведомления взрослых. Материнской энергии рядом нет совсем, а отец с ним вряд ли справится. За кадром даю папе совет, как остановить и как с ним разговаривать. Парень вроде бы толковый, поймет.

Я доволен результатом. Симбиоз интуиции, китайской науки и сновидений дали возможность найти пацана. Опыт хороший, надо запомнить. Иду, анализирую. Я, наверное, был похож на собаку — потом в эфире посмотрю. А сон хорош! Спасибо за ответ! Если бы не прыжок во сне, возможно, я бы просто уперся в стену. Ух, после таких успехов хочется горы свернуть! Жаль, что девушка, от которой я получил письмо, приезжает только завтра. Надеюсь, до завтра мне хватит сил распутать ее сложное дело. Она потеряла маму и отчима. Невозвратно потеряла. Я назначил ей встречу в кафе в полдень. Да, сегодня было бы, конечно, лучше. Моя задача — не растерять сейчас это состояние уверенности и благосклонности судьбы, ведущей меня по следу.

Кафе — на бойком месте, я выбрал его потому, что там меня знают и не мешают работать, и еще потому, что оно буквально в двадцати метрах от станции метро «Проспект Вернадского». На такие встречи я стараюсь прийти заранее, но на сей раз у меня не получилось, так как девушка приехала в Москву в семь утра и прямиком отправилась в это кафе.

Я узнал ее сразу. По грустным глазам. Глаза не спрячешь. Ее боль была острейшей. Времени после трагедии прошло совсем мало, и она еще не начала новую жизнь. Она все еще была в прошлом, и я понимал, что, кроме помощи в раскрытии этого преступления, мне надо будет помочь ей перевернуть эту последнюю страницу тяжелой книги и дать какой-то ориентир. Ей совсем не у кого спросить, как жить дальше. Она сидела напротив, маленькая, сжатая в комок, с покрасневшими и от слез, и от бессонной ночи в поезде глазами. Я поздоровался. Она привстала в ответ и протянула ледяную руку. «Светлана». Она назвала день, месяц и год своего рождения. Да, настрой на работу у нее есть.

«Значит так, Светлана. Я сейчас буду смотреть твою ситуацию, а ты ничего мне не рассказывай, пока не получишь вопрос. Ни единого слова без моего вопроса. Договорились? На вопрос отвечаешь односложно: да или нет. И не более!» Ее «да» было тихим, коротким и жестким.

Я взял фотографию ее мамы. Закрыл глаза. Никто меня не торопит, никто не стоит над душой и не выпытывает подробности. Огнестрельное ранение. Я открываю глаза и говорю, какой была ее мама. Описываю ее характер, что любила есть, что носить, ее любимые слова и фразы. По реакции Светланы мне очевидно, что я говорю все верно. На отношениях мамы со Светланой и ее сестрой делаю акцент. «С тобой у нее все хорошо было, но вот с твоей сестрой — война». При этом меня начинает знобить.

«Давай-ка сестру посмотрим». Симпатичная девушка, тоже молодая. Я запомнил ее лицо, и теперь мне нужно понять свое состояние. Это состояние безысходности и вины. Я не могу больше сдерживать дыхание. Девочка чувствует себя виноватой, но так бывает, когда мы теряем близких — все, что не договорили, не досказали, не помогли в какой-то момент, это все воспринимается как собственная ошибка и как вина. Я делаю небольшой перерыв.

— Сестра-то у тебя очень умна. Расчет и аналитика просто феноменальные и острейшая критика. Она кто, педагог? С детьми работает?

Светлана кивнула.

— Да, она воспитательница в детском саду.

— Все, стоп, молчи!

Я перестал дышать и начал вытаскивать скрученные в трубочку бумажки. Это была третья или четвертая по счету. «Шестое сентября». Просто дата. Убийство произошло позже, но что было шестого сентября?

— Скажи, Светлана, что было шестого сентября?

Девушка задумалась.

— Да вроде бы ничего. День как день. Я была на работе, вечером позвонила маме… — Девочка побледнела. — Мама плакала. Она сказала: «Все, Света, все, с этой тварью я больше не разговариваю!»

— Она имела в виду сестру?

— Да, ее. Они опять поругались, я позвонила сестре, но та трубку не взяла.

Я не знаю, как это происходит. Внезапно возникает ощущение правильного направления движения. Как некий указатель — вам туда.

— Сестра замужем или, может, у нее есть парень?

— Да, она замужем, у нее все хорошо, муж и дети.

— Фото ее мужа и дата рождения есть?

— Фотографии нет, а дату — да, знаю.

Я смотрю на дату рождения этого парня и понимаю, как он привязан к своей жене. Какая-то безумная любовь и вечное доказательство брутальности. Я мужик, я смогу! Похоже, смог. Смог дров наломать на несколько поколений вперед. Парень раздавлен, на грани суицида. Парень сильный и мощный с виду, но энергетика его женская, ведомая. Такой горы свернет, только дай инструкции. Я понял, кто убил мать Светланы и отчима. Я смотрел на Светлану.

— Да, дружная у них семья, очень дружная, хорошо живут. Двое деток маленьких, погодки, все время вместе. Сестра там, конечно, главная, поумней она, чем зять, и командирша.

Я не знал, как озвучить ей то, что я знаю. Это ее родная сестра. Она не убивала, нет, она просто закатила истерику, и парень решил убрать причину ее проблем. Она даже не знает, что ее муж — убийца. И Светлана не знает. А в тюрьме сидит невиновный человек.

— Расскажи, как было дело.

Светлана как-то вся сжалась. Было видно, что воспоминания ей даются тяжело. Я не торопил ее. Она вздохнула и стала рассказывать. Я закрыл глаза, устроился поудобней и стал слушать, но не просто слушать, а попытаться войти в ее рассказ как наблюдатель, как будто я сам в этом рассказе.

— Родители собрались в лес по грибы. Мама, отчим — я его папой звала, он нас с трех лет воспитывал, и друг отчима, они вместе на заводе работают. Они сели в машину и поехали. Примерно в пятнадцати километрах от города остановились на опушке леса. Мама с отчимом в одну сторону пошли, а приятель отчима в другую. Минут через пять папин друг услышал выстрелы. Два выстрела. Он сначала подумал, что это охотники стреляют, там озеро рядом есть. Позвонил отчиму на телефон, тот не отвечал, потом стал кричать, звать моих. Они не отзывались. Он пошел в их сторону и нашел. Застреленных. Сам по сотовому вызвал милицию. Его потом самого и арестовали. Вот и все. В то, что их убил друг моего отца, я не верю, я знаю, что это не он.

Девушка умолкла. Да, это не он, но как сказать? Я все сидел и думал, как ей сказать, что я знаю, кто это сделал? Я не боялся сделать ошибку, я был на сто процентов уверен, я боялся повесить на шею девчонке тяжелейшую ношу, которая разрушит ее род и клан. Светлана подняла глаза.

— Вы думаете, что это она? Вы знаете, мне сон приснился. Мама приходила и просила не ходить к сестре. Я собралась к ним в гости, а она прямо на пороге встала и говорит: только через мой труп!

— Да, иногда сны бывают вещими. Нет, Светлана, я думаю, что это не сестра. Это другой человек, — я выдохнул, — ее муж.

Светлане стало нехорошо. Сыграли сосуды.

— Ну-ка, выпей чаю с сахаром. — Я налил в чашку чай и размешал сахар.

Практически залпом она выпила этот чай.

— Что же мне делать… Как с этим жить? У них же дети, я их так люблю.

Девушка не спрашивала меня: может быть, я ошибаюсь, может быть, это кто-то третий убил? Нет, она просто сидела и думала, как ей поступить, и ждала ответа от меня.

— Сейчас возвращайся к себе. Два варианта развития событий. Либо ты идешь в милицию и говоришь о последних словах мамы в адрес сестры, либо молчишь всю оставшуюся жизнь. Лучше первое, потому что зять не выдержит тайны и лучшим выходом для себя посчитает самоубийство. Этого допускать нельзя!

Мы попрощались. Светлана сказала, что напишет мне.

— У меня вся ночь впереди, буду думать. Я напишу вам, Александр. Спасибо. Я ведь и обратилась-то к вам после того, как мама пришла.

Я шел домой, и настроение мое было подавленным. Сколько раз мне еще придется объявлять вот такие результаты своей работы? К этому привыкнуть невозможно. Я понимаю, что есть вещи, которые созданы в прошлом, и то, что произошло и происходит сейчас, — это тоже из прошлого. И именно поэтому я сказал ей о двух вариантах и о том, что самоубийство будет худшим вариантом развития событий, потому что оно обязательно аукнется в будущем. Пусть он лучше на этом свете несет ответственность, чем переложит ее на плечи своих детей и внуков. Он еще молодой и сможет хоть частично загладить вину.

Случай интересный, и опять вопрос: зачем мне этот опыт? Погружаясь в рассказ, оказываться на месте событий — сейчас ведь практически так и было. Это похоже на некий сон, режиссером которого является рассказчик, и моя роль — роль наблюдателя, и как наблюдатель я вижу больше, чем участник событий. Надо будет использовать этот момент и давать людям говорить. Сначала только «да» и «нет», а потом рассказ, и в это время уходить в легкий транс. То есть я не задаю вопросы, я просто слушаю и по мере повествования погружаюсь в события.

Просто так люди ко мне не приходят. Это для того, чтобы раскрыть конкретную тайну или просто еще раз отточить мою интуицию до предела, или и то и другое? В случае Светланы невиновный будет оправдан. Я знаю, какое решение примет Светлана. Он попадает под принцип справедливости, а орудием этой справедливости являюсь я как указавший правильное направление. Что-то тяжеловата ноша, хватило бы сил.

20.

Я смотрю на календарь и понимаю, что вплотную приблизился к стартовой черте. Остался один экзамен, надеюсь, он будет без крови. Слишком много ее в последнее время, и с каждым разом мне все тяжелее и тяжелее. Надо придумать какой-то антидот. Вода мне хорошо помогает, но постоянный стресс держит меня в напряжении, мне он совсем не нужен, это не мое нормальное состояние. Я решил переключиться. Скоро финал. Мне уже сказали, что надо выглядеть хорошо. Да, я понимаю. Это же мой выпускной. Закончилась моя очередная школа.

На выпускной мне надо купить новый костюм, потому что старый висит на мне, как на вешалке. Интересно, сколько килограммов я сбросил за это время? Я как-то ни разу не задумывался по этому поводу. В ближайшие два дня нужно подстричься и подровнять бороду. За тридцать лет службы я привык носить короткую прическу, но недавно мне кто-то прислал письмо и там были рекомендации по имиджу. Женщина-парикмахер так и озаглавила их: «Рекомендации по имиджу». Советует коротко не стричься и прилагает фотографии. При этом вижу на фотографиях себя. Парикмахер неплохо владеет фотошопом. Больше всего мне понравился ирокез. Может быть, она и права.

Я и сам знаю, что волосы мне нужно подлинней, но это не связано с имиджем, это связано с интуицией. Гигроскопичность волос создает вокруг головы дополнительную атмосферу, свою персональную атмосферу, насыщенную влагой. Далеко не случайно новобранцев коротко стригут.

«Есть», «так точно», «никак нет». Управляемость коротко стриженными мужчинами на порядок выше, а их способность к рассуждению — ниже. И догматизму они подвержены в большей степени. Но я не солдат и не тибетский монах, и мне нужна интуиция.

Я не брил бороду лет с тридцати трех. Я интуитивно пришел к этому, а не потому, что сочувствую режиму Кастро. Экономия времени опять же значительная, и зимой теплее. А зима была уже в разгаре.

В торговом центре я купил себе костюм и новые туфли. Ну все, с экипировкой покончено, теперь — к парикмахеру. Вот здесь у меня проблема: абы кому я свою голову доверить не могу. Нужен мастер, энергетика которого была бы созвучна с моей и, кроме того, усиливала бы ее или хотя бы просто структурировала. Поэтому в Москве я всегда заходил в салоны с большим количеством парикмахеров — мне нужен был выбор. Вот и сейчас я стоял и рассматривал специалистов. Мое внимание привлекла девушка ростом выше среднего, с тонкой белой кожей, с серо-зелеными глазами. У нее была несколько угловатая фигура, широкие плечи, несколько жестковатые, но все же симпатичные черты лица. Она подстригала какого-то мужчину лет сорока. Я подошел к администратору и, указав на девушку, сказал, что хочу подстричься вон у того мастера. Администратор этого салона телевизор не смотрела, поэтому я на нее впечатления не произвел.

— Вы знаете, а у нее на сегодня это крайний клиент.

Она сказала именно так — «крайний».

— И что, она больше не будет сегодня работать?

— Да, но вы не волнуйтесь, придет другой мастер.

— Но мне нужна именно она.

— Да, она очень хороший парикмахер. Попробуйте сами договориться. Правда, она не очень сговорчивая особа. Она, как закончит, подойдет сюда, к стойке.

Я смотрел на мастера и пытался определить, кто она и какое слово будет тем ключом, который откроет ее хорошее расположение ко мне. Судя по тонкой белой коже, она рождена зимой, глаза светлые с зеленью несут в себе энергию океанского тайфуна, движения точные и четкие. Переключившись на то, как она стрижет, я понял, дата ее рождения, скорее, осенняя, либо сентябрь, либо октябрь, — рожденные зимой плавней и медленней, значит, энергию тайфуна ей дает год рождения. Судя по ее внешности ей лет двадцать пять — двадцать восемь. Ближайший «водяной» год — 1982. Все, ключ я нашел. «Как точно и безопасно вы работаете». Да, ей нужно сказать именно это!

Последние штрихи к вполне приличной прическе своего «крайнего» клиента, и девушка подошла к стойке администратора.

— Добрый вечер, я вот смотрю сейчас, как точно и безопасно вы работаете, вы не могли бы и меня подстричь?

Она повернулась ко мне.

— Да, конечно, с удовольствием!

Я бы ликовал от своих способностей, но сразу после слов последовал дубль с небольшим дополнением: она произнесла мое имя.

— Я с удовольствием, Александр, приведу вашу голову в порядок!

Да, рожденные в водяные годы обладают высокой интуицией, и все, что связано с ней, их страшно привлекает. Конечно же, она знает меня и по возможности не пропускает ни одной программы. Я сел в кресло.

— Вас стричь так же, как вы выглядите на экране?

— Да, поскольку с этой стрижкой я дошел до финала, то менять ничего не будем.

— Да, конечно, но в будущем я бы вам советовала все-таки носить более длинные волосы.

Она волновалась, она очень боялась сделать ошибку.

— Скажите, а могу я у вас попросить чашку чая? Вам и самой было бы сейчас неплохо немного отдохнуть. Я же у вас сверхплановый.

— Да, я тоже попью. День длинный какой-то сегодня.

Она принесла мне чашку с чаем и села в соседнее кресло.

— Мне прямо не верится, что я буду вас стричь.

— Вы не волнуйтесь, вы действительно хороший мастер. Я за вами наблюдал.

— И что скажете?

Ей было интересно все, что я скажу.

— Я решил, что вы родились в октябре 1982 года, энергия у вас северо-западная.

Глаза у девушки округлились от удивления.

— 25 октября 1982 года. Как вы догадались?

Теперь у меня была точная дата рождения и она говорила о том, что девушка умна и знает иностранный язык. Скорей всего, английский или немецкий. И еще, несмотря на большое количество поклонников, она не замужем. И это ее тяготит, потому что ее мама уже достала с вопросом о ее замужестве, а вот энергии отца я не почувствовал. Она похожа на него, но рядом его нет и уже достаточно давно. Она мечтает о своей парикмахерской и о принце на белом коне или, по крайней мере, небедном человеке. Но если я сейчас ей все это выдам, не факт, что она не отрежет мне ухо.

— Давайте так: вы меня подстрижете, а потом я вам что-нибудь про вас скажу. Договорились? И не торопитесь, я никуда не спешу.

Она очень аккуратно меня подстригла. Да, все-таки она профи, взяла себя в руки. По окончании работы я выдал все, что знаю о ней.

— И еще. Твоя ошибка в партнерстве прежде всего связана с тем, что ты ставишь одновременно множество задач, множество факторов для изучения. При этом человек, который тебе симпатичен, даже не догадывается о том, что является предметом пристального изучения. А тебе нужно знать о нем все и выставлять оценку — плюс или минус. Потом ты все суммируешь и сравниваешь, чего больше — минусов или плюсов, а человек-то уже уехал. Ты можешь даже влюбиться в свой предмет изучения, но он-то об этом не знает! Поэтому в следующий раз, если тебе понравится мужчина, изучай не более трех характеристик одновременно. Если они тебя устраивают, скажи, что человек тебе симпатичен. Только тогда ты сможешь увидеть его настоящего. И еще, логичность твоя очень сильно мешает. У тебя хорошая интуиция, и ей следует доверять!

21.

Я уже проводил детей и собирался было засесть за китайскую науку, как раздался звонок. «Александр, сегодня, десять вечера, центр зала, станция метро „Шаболовская“».

Впервые так поздно назначена встреча, и это значит, что можно до утра забыть про сон. Но, по крайней мере, у меня есть целый свободный день, и это просто замечательно! Холодильник полон, вчера только пополнили запасы, костюм к выпускному готов, новые туфли начищены, сам я — подстрижен. Мне есть чем заняться: я нашел замечательный материал по фэншуй, и мне не терпелось проверить его на себе. Я применил все коэффициенты, о которых догадался, я учел даты рождения своих родителей, дедушек и бабушек, изрядно помучившись с переводом времени из стиля в стиль, я учел все свои перемещения в пространстве за всю свою жизнь, я вспоминал людей, которые тем или иным образом оказывались со мной рядом и влияли на меня как в положительную, так и в отрицательную сторону, и я получил результат.

Характеристика была объемной и очень точной, но там было одно слово, которое раньше мне никогда не попадалось. И никто ни разу меня таким словом не называл. Там было написано слово «вдовец». Я не ожидал его увидеть, более того, я ни разу за все это время не задумался о своем статусе. Ни одной, даже крохотной мысли мне не приходило в голову с таким ужасным набором букв, означающим перелом всего, что только можно. Это был шок. Шок не от того, что китайская грамота рассмотрела меня, это был шок от самого слова.

Я впал в какой-то ступор. Это слово мне не нравилось. Я его ненавидел. Это слово вырвало из моей жизни половину и еще половину этого дня. Я ничего не мог в тот момент: ни делать, ни думать, ни фантазировать. Я сидел и тупо смотрел на эти шесть букв. Я не хотел им быть. Какое ужасное слово, как гвоздями прибивающее к земле. Слово, в котором зашифрована ужасная трагедия. Слово, которое лишает меня интуиции и надежды. Какая-то безысходность сквозила в этом слове, какая-то моя слабость, как укор, как приговор. Я — я все знал, я все чувствовал, и вот итог. Я — человек, не выполнивший задачу.

Мне понадобилось несколько часов на то, чтобы прийти в себя. Я собирал себя как кубик Рубика, все перекручивая и перекручивая грани своей жизни. Я не хотел быть вдовцом. Это не мой статус. Я буду смотреть на смерть как на рождение.

К приходу парней я уже был в относительной форме. «Ну что, как день прошел?» Я не стал говорить, как он прошел, я сказал, что сегодня вечером у меня экзамен в районе «Шаболовки» и высока вероятность, что я вернусь только утром, поэтому ведите себя достойно и своевременно ложитесь спать.

В двадцать два часа Москва еще не спит. Она вообще никогда не спит, это действительно так. Я вышел из метро. Место ожидания экзамена — кафе, где пахнет свежемолотым кофе и можно курить. Энергетика дня весьма динамичная, скорость высокая — день просто создан для шоу, пиара, коммуникаций и общения. Народ контактный, посетители громко разговаривают, смеются.

После дневного потрясения я все еще чувствовал какую-то слабость, поэтому я сразу заказал себе двойной эспрессо. Все равно всю ночь не спать. Так и получилось. Кафе закрылось, и организаторы проекта переместили меня в старенький японский автомобиль с правым рулем. Мы проехали от кафе метров пятьсот и остановились возле какого-то кинотеатра, рядом с которым стояла знаменитая башня Шухова. Ну, точно, день коммуникаций. Вот вам, пожалуйста, радиобашня, вот вам шоу — целый кинотеатр. Что ж там будет? Я пошел на экзамен в пять часов утра, с затекшими ногами, с помятым лицом. Но меня особо это не напрягало: ночь — мое время, а в декабре в пять утра еще ночь.

Все как всегда, и неспящая Оксана со своей единственной кисточкой и детским ведерком с гримом, и инженер звукозаписи, прикрепляющий ко мне микрофон, и аж два ведущих. Что это они вдвоем-то сегодня? Молодой-то выдержит, а старикам уж спать пора. Но ведущий, похожий на моего отца, держался бодро. Задание было следующим. Я должен стать спиной к экрану, на котором будут транслироваться фрагменты видео. Все, что я почувствую, я должен говорить в зал.

Это был самый настоящий кинотеатр. Я поднялся к экрану и развернулся в сторону зала. Не представляю, как пройти это испытание. Я попросил пять минут времени.

— Для чего?

— Мне нужно настроиться, испытание необычное, надо отдать должное вашим творцам.

— Три минуты.

Мне дали три минуты. Я присел на край сцены. Так, сейчас мне в глаза будет бить свет, то есть ни о каком погружении и речи быть не может. Что же делать? Свет несет информацию, и сочетание его волн дает нам ту или иную эмоцию. Когда мы смотрим на картину, то световые волны, отражаясь в той или иной пропорции дают нам понимание того, что мы видим, а мозг, в силу своего опыта, уже формирует окончательный рисунок, понятный нам. С открытыми глазами в объектив проектора не посмотришь, там лампа на пятьсот ватт мощности. Для начала надо посмотреть на свет — так быстрей пройдет аккомодация, и когда включат проектор, мой глаз не будет ослеплен. Я уставился на софит и лихорадочно думал. Глаза будут закрыты. Самое главное сейчас — понять, что свет, попадающий на мое лицо, на мои веки, несет информацию в виде эмоций. Я отвернулся от софита, засветки уже достаточно, у меня есть около минуты, чтобы световое пятно от софита исчезло. Я многое видел в своей жизни и не сомневаюсь, что я видел и то, что мне сейчас покажут. Сейчас бы только не подвела память. Память без логики.

Три минуты истекли. Ведущие, сидящие в центре зала, дали команду, и я попал в луч кинопроектора.

В абсолютной тишине было слышно, как стрекочет киноаппарат. Я закрыл глаза. Свет очень яркий. Мне надо увязать свет и эмоции.

Первый сюжет. Начали. Вот это — паника. Это — как последний день Помпеи. Страх, паника. Землетрясение. По факту это террористическая атака на Нью-Йорк. Падают башни-близнецы. Ну, почти попал. Для кого-то этот день стал последним, несомненно.

Второй сюжет показали через несколько секунд. Резкое, жесткое, черно-белое и очень динамичное. Агрессия, и в какой-то момент я вижу черного человека. Негр, что ли? Что это? Поворачиваю голову к экрану — ограбление ювелирной лавки. Мелькнувший в глубине подсознания негр на самом деле белый, но на нем черный чулок.

Дальше следующий фрагмент. Хороший свет, мягкий и добрый. Напоминает день рождения или утренник, одним словом, это праздник. Да, действительно праздник.

Следующий сюжет. Комфортный свет, очень знакомое ощущение, я точно это видел. Я резко отодвигаюсь от проектора — нет, на физическом уровне я не сдвинулся ни на сантиметр, но в голове моей было именно так. Я вижу телевизор, он далеко от меня, и я никак не могу рассмотреть, что там происходит. Там что-то очень знакомое.

— Телевизор.

— Стоп.

Оборачиваюсь. На экране — я, собственной персоной. Память в этот момент дает запоздалый импульс: я сижу в квартире, в той самой, где живу сейчас, на том же диване и смотрю свой эфир. Ну, хорошо. По-моему, хорошо. Интересно, что самые страшные, агрессивные моменты читались на порядок легче. Видимо, копилка эмоций специально так устроена, чтобы в случае опасности дать максимально правильный ответ, не тратить время на аналитику. Красоту можно созерцать часами, а вот на агрессию долго смотреть нельзя, надо что-то делать.

Домой еду на такси. Шесть утра. Дети спят. Спят так крепко, что не слышат, как я вернулся. Им еще час до подъема. После того как я побывал в кинотеатре в качестве экрана, спать совершенно не хочется. Нужно какое-то время, чтобы прийти в себя. Любая съемка дает эффект крепкого чая или даже коньяка. Хочется общаться, разговаривать и делиться впечатлениями. У меня есть Интернет, и там тысячи людей, которые с удовольствием со мной поговорят. В шесть утра со мной будут говорить Дальний Восток и Сибирь. Да, стоило только появиться значку, означающему, что я вошел в сеть, как тут же посыпались сообщения.

Мужчина из Омска спрашивает, настоящий ли я? Настоящий, конечно. А чем докажете? Скажите что-нибудь про меня, тогда я поверю. Этих коротких бессмысленных сообщений в разы больше, чем просьб о помощи. Я могу понять скепсис людей. Им нужны доказательства. Их и их родителей лишили веры в чудо, лишив веры в Бога. Им нужны фокусы, но я не фокусник. Все эти люди проходят мимо чудес, не замечают ежедневных подсказок мироздания. Они даже не понимают, что сама наша жизнь — сплошное чудо. Глаза их смотрят, но не видят. Они просят показать им чудо с одной только целью: «Ага, не получилось! Чудес не бывает!»

Я отвечаю только на часть сообщений и очень не люблю провокаторов. Их сообщения, особенно такие, которые начинаются с просьбы, очень вежливые и выдержанные, а вдогонку, через пять-десять минут ожидания, уже со упреками в том, что стоило мне попасть на телевидение и простые, обычные люди мне уже неинтересны, что я отношусь к ним свысока. И прочие, прочие неприятные для меня вещи. Неприятные хотя бы потому, что это — неправда.

Я не вступаю с такими людьми в полемику, я просто делаю так, чтобы они никогда не имели возможности писать мне. Но письмо одной женщины, написанное в таком же ключе, меня зацепило. Сначала она написала: «А скажите про меня, тогда поверю». Не дождавшись ответа, она написала: «Все, что происходит на телевидении, — это все шоу, это спектакль, и я точно знаю, что у вас сын работает на этом канале, где идет программа».

Вот это номер. Сначала я хотел сразу отключить эту даму от всех своих ресурсов, но в последний момент остановился. Ладно. Будет тебе чудо, здесь и сейчас. Гнев — это тоже стресс, а в стрессе я неплохо работаю.

— Дайте мне свое имя и дату рождения.

— А фотографию надо? Там не моя фотография на странице.

Да, любители обвинять всех и вся частенько делают это под чужими именами и фотографиями. Это еще больше меня взбесило.

— Не надо фотографию.

Я печатал ответ, глядя на цифры ее рождения и буквы ее имени. «Хорошо училась в школе, отменный слух, шьешь сама одежду, неплохо получается, сильно болит шейный отдел позвоночника, протрузия диска в грудном отделе, это из-за травмы, перелом в районе лодыжки в детском возрасте дал такой результат, не замужем и ни разу не была, детей нет, живешь с мамой и папой, папа тяжело болен, онкология, из дома не выходишь, нет подруг, никого нет, тотальное одиночество, отрываешься здесь, в соцсетях. Да, и еще бабушка твоя Прасковья занималась лечением людей травами. Ты и сама хотела в мединститут, но мама настояла на бухгалтерии».

Минут пять она не отвечала. Потом пришел вопрос: «Как вы это делаете? И что мне делать, подскажите?»

Я написал ей, чтобы смотрела по сторонам, жизнь даст подсказку, и отключил. Навсегда.

22.

Три месяца пролетели, как один день. Три месяца напряженной работы, обучения — в процессе и за его пределами. Моя работа вне съемок была порой на порядок важней, взять хотя бы тот случай с водой и камнями. Вначале этой марафонской сессии у меня не было и четверти тех знаний, что есть сейчас. Я хочу сказать спасибо мирозданию за этот опыт. Я очень доволен собой, это были очень сложные экзамены, но то, что было за периметром программы, было еще сложней. Люди, которые встретились мне на пути, все как один и независимо друг от друга, помогали мне. Ни одно знакомство не было случайным. Даже те, с их выпадами и колкостями в мой адрес, с их скепсисом и неверием, те, кого я отправил в электронное забвение, и они тоже участвовали в моем обучении, помогли преодолеть и сломать главного врага, мешающего жить и мне, и огромному количеству людей на планете. Сомнение повержено! Я создан по образу и подобию!

Завтра съемка финальной программы. Я волнуюсь. Я каждые пять минут выхожу покурить. То, что я задумал, должно свершиться завтра. Уже неделю идет смс-голосование. Завтра в полночь будет озвучен результат. Итог моей борьбы с самим собой.

Полночь — это мое время! Я рожден в полночь, в час водяной крысы. Все это только завтра, а я уже переживаю. Альберт с Евгением подсчитали количество сданных и не сданных мной экзаменов и решили, что статистика в мою пользу.

— А что говорит вам интуиция?

— Ты победил, папа!

Это все будет завтра, а сейчас я задумался о том, что своей победой я задам детям высокую планку. Им нельзя будет совершать явных ошибок. Интуиция у них очень хорошая, придет время, и я буду их учить, и Евгения, и Альберта.

Альберт и сейчас, зная всю историю рода и клана, получив высокий интуитивный потенциал и от меня, и от Натальи, неплохо ориентируется в системе знаков. Его исключительно жесткий принцип «да — да, нет — нет» выражен максимально, и это несколько усложняет ему жизнь, но без этого никак нельзя. Придет время, и он лучше меня сможет разобраться во многих вопросах.

Евгению я в свое время советовал поступать не в МГУ, а в Академию водного транспорта. Но он настоял на МГУ и, возможно, был прав: международное морское право можно выучить и самостоятельно, а имея базу МГУ, тем более. Его сомнение больше, чем надо, и тоже понадобится время, чтобы поверить себе и в себя. Но я же рядом. Я им подскажу, что и как делать.

Парни мои волновались.

— А что нам говорить, если нас спросят? А что надеть? А может, нам вообще не ходить?

— Как это не ходить? В жизни пригодится — смотрите и запоминайте! Сейчас еще племянницам позвоню, пусть приходят на мой выпускной! Мне нужна группа поддержки.

День как день. Минус пятнадцать по Цельсию. Я еду на финал. Я понимаю, что сдал этот экзамен и что остались лишь формальности. Тот, кто получит большее число голосов, будет объявлен победителем проекта. Будет объявлен в полночь.

Финальная съемка проходит в красивом старинном здании, в ДК железнодорожников. Когда-то это здание принадлежало известному в Москве человеку. Умели раньше строить — так сложить кирпичи, что торжественность чувствуется уже на подходе. У ворот стоит толпа. Несмотря на мороз, многие одеты очень нарядно, как будто это и не ДК совсем, а самый настоящий театр. До объявления результата еще три часа, а люди уже стоят, мерзнут.

Часть этих людей пришла поддержать меня. Незнакомые мужчины и женщины, с цветами в руках, с фотоаппаратами, они узнали меня и окружили, так что я шагу ступить не мог. Началась стихийная фотосессия. Это было ошеломляюще! Одно дело — быть на экране телевизора, и совсем другое — стоять в кругу огромного количества людей и чувствовать их величайшую поддержку и любовь. Да, я почувствовал любовь со стороны этих людей. Они все желали мне удачи. Они кричали, что верили в меня и теперь радуются вместе со мной. «Я к вам еще вернусь, а пока мне надо приготовиться к съемкам».

Я зашел в помещение. Вся съемочная группа была в сборе. При полном параде. Да, и у них тоже праздник, они сделали свою работу и тоже устали. Звукорежиссер повесил на меня микрофон.

— Ну как настроение? Как думаете, кто выиграл?

Я улыбнулся ему.

— Я выиграл. Не сомневайтесь.

Впервые я позволил себе сказать это вслух. И вот поступила команда: «Приготовиться к съемке. Финалистов приглашаем пройти в зал для объявления результатов голосования».

Я шел первым по широкой лестнице, покрытой красной ковровой дорожкой, и для меня это было круче, чем Канны. Я, правда, там никогда не бывал. Я, кроме широких просторов СССР, вообще нигде не бывал, но обязательно буду — эта лестница откроет мне мир. Я уже шел по ней — во сне, знакомая тропинка. Справа и слева стояли люди и аплодировали всем финалистам и что-то пытались мне прокричать. Стоял такой шум, что я никак не мог разобрать, что они говорят. Я шел по дорожке и думал о том, что там, впереди, меня ждет линия старта. Я весь ушел в свои мысли и даже не заметил, как кто-то вручил мне букет желтых цветов.

Спохватился, но было уже поздно. Я решил, что эти цветы я передам дальше, это не мне.

Ведущий программы торжественно достал пакет с распечатками смс-сообщений.

— Итак, объявляется победитель…

Я смотрел на хрустальную руку, стоящую на постаменте в центре зала. Рука выглядела просто волшебно, она была подсвечена софитами, и эта подсветка делала ее парящей. Я тысячи раз держал ее в руках, я тысячи раз поднимал ее над своей головой. Теперь я, наконец, узнаю, какая она, настоящая.

— …И в результате смс-голосования, — ведущий сделал паузу и хитро посмотрел на финалистов, — победу одержал… — он опять обвел всех взглядом, — …Александр Литвин!

В тот момент мне очень хотелось, чтобы эта синяя рука сама ко мне прилетела, но закон гравитации отменится только в случае конца света. Я подошел к постаменту и взял руку. Да, это она. Знакомая хрустальная рука. Все совпало: и цвет, и вес. Не совпали только эмоции. Они остались там, в прошлом. На душе было пусто и грустно. «Смотри, Наташа: я все сделал, как ты сказала. Ты была первая, кто мне поверил. Спасибо. Я собрался, я сдал экзамен, и теперь у меня выпускной, и мне надо выйти к людям».

Распахнулись двери — и людское многоголосье с аплодисментами обрушилось на меня, как тропический ливень. Я высматривал в толпе своих парней. Вот они, смотрят на меня и улыбаются, очень спокойно и сдержанно. Да, наше счастье не полное, но тут уж ничего не поделать. Я поднял приз над головой и поблагодарил всех телезрителей и людей, присутствующих здесь, в зале, всех, кто отправил смс, проголосовав за меня, и тех, кто не отправил, но своими мыслями и эмоциями поддержал меня в это сложное время.

Потом был банкет, во время которого я рассказывал о том, как все устроено и как я сдал этот экзамен. Это была моя первая лекция про интуицию и про то, что мы созданы по образу и подобию Творца.

Мы вернулись домой ранним утром. Надо бы позвонить родителям, они волнуются и переживают. Я набрал их номер. «Алё, мама, привет, это я. Все хорошо, приз у нас. Да, рад, конечно, рад. Что дальше? Я не знаю. Я правда не знаю. Буду думать. Когда приеду? После Нового года, на твой день рождения».

Удивительная пустота внутри. Мне даже жаль, что все закончилось. Я буду скучать, я уже скучаю. Мне нравится делать чудеса. Это так здорово.

Я включил компьютер. Моя страница была забита поздравлениями. Те, кто был на финале, они, конечно же, сразу раструбили о результатах в социальных сетях. Я ответил на каждое письмо. «Спасибо за поддержку. Она мне очень важна».

Утро вечера мудренее. Я открыл китайский календарь. Ближайший благоприятный период для начала работы — 18 декабря. За оставшееся время я смогу найти кабинет и человека, который бы мне помогал. Сейчас мне надо дать себе определение. Кто я для людей? Слово «экстрасенс» никоим образом мне не нравится. Оно изрядно затаскано и к тому же не отвечает истинному смыслу. Экстрасенс — сверхчувствительный. Кто-то слышит лучше, чем я, и по отношению ко мне он будет экстрасенсом, кто-то видит лучше, чем я. Нет, это слово не мое!

Так кто же я? Я был в тупике. Эти три месяца я достаточно много работал. Чем я занимался? Я распутывал какие-то истории, я советовал, как поступить в том или ином случае, я рекомендовал переместиться в том или ином направлении. Есть хорошее русское слово «советник». Я улыбнулся. Я и есть советник. У меня пожизненный классный чин — советник государственной гражданской службы Российской Федерации второго класса. Из этого длинного звания для себя я оставлю только первое слово. Я — советник. А для других? Пусть будет «консультант».

Мне нужны помощники. Не те, кто будет выполнять роль секретаря или администратора, нет, мне нужны очень интуитивные люди, которые бы понимали меня с полуслова и были сильны в своих убеждениях. Люди, с которыми я бы мог поспорить.

Мне нужен человек со знанием китайского языка. Мне нужно разобраться с этой китайской грамотой. Она имеет структуру. Она имеет системность, она очень мне помогает. Симбиоз моей интуиции и фэншуй давал неплохой результат, но девяносто девять процентов из опубликованного в Интернете про фэншуй несет в себе столько ошибок, что этими публикациями пользоваться нельзя.

Эх, мне нужен учитель. Одной из задач, которую я хотел реализовать в проекте, была встреча с человеком, способным объяснить, почему, что и как. К сожалению, там такого человека я не встретил. Я вспомнил сон и старика, который дал мне жезл. Вот он и сбылся, этот сон, в котором восточный старик в своей восточной одежде, глядя на меня синими глазами, протянул мне эту волшебную палочку, инкрустированную драгоценными камнями и золотом. Может быть, ты мой учитель? Спасибо тебе.

Воскресенье, выходной день. Чувствую себя замечательно. Сегодня будет эфир. Последний мой эфир на ТВ в этом проекте. У меня не было сомнений, что я еще буду сотрудничать с телевидением. Мне нравится эта деятельность, мне нравятся смотреть не в телевизор, а из него, мне нравится сам процесс, динамика и творчество. Но для этого нужно очень хорошо работать за кадром, в своей обычной повседневной жизни, и тогда я буду им, телевизионщикам, интересен.

Во время съемок финала ко мне подошел один из представителей телевизионного канала, представился и спросил:

— А вы в курсе, что являетесь секс-символом программы?

Вот этого я ну никак не ожидал.

— Да ладно вам. Просто подсветили меня софитами, да Оксана-гримерша удачно машет кистью. Она, случайно, маляром на стройке не работала?

— Нет, Александр, я вполне серьезно. Почта канала завалена письмами от женщин от восемнадцати и старше.

— Ну, так давайте сделаем программу «Александр Литвин отвечает на письма влюбленных женщин». Считаю, что тема хорошая.

Я улыбался ему, но представитель канала был серьезен.

— Ну да, ну да, надо подумать. Мы свяжемся с вами.

Действительно, и в моей почте писем от проявляющих ко мне симпатию женщин было очень много. Мне не хотелось никого обижать и огорчать, и я решил их просто игнорировать. Мой ответ будет вызывать надежду на взаимность, и я посчитал, что будет лучше совсем не отвечать.

Мне стало тепло. Я посмотрел на часы. Это Чукотка, Камчатка и Сахалин меня поддерживают, сейчас к ним присоединятся Владивосток и Хабаровск, и час за часом эта энергия будет нарастать, усиливаться, и к вечеру я буду светиться в инфракрасном спектре, как электрический нагреватель. Так уже было, так было каждое воскресенье в течение последних трех месяцев. Сегодня мои старики и многочисленная родня будут сидеть за столом и волноваться за меня. Мама и папа в курсе событий, но все равно они будут переживать.

Я приготовил торжественный ужин. Я сделал салат оливье, а Альберт испек шарлотку. Когда-то я сам его научил, а сейчас даже не вспомню рецептуру. До эфира еще достаточно времени, и у меня есть приятная возможность отвечать на поздравления. Они пошли с дальневосточных территорий, потом к ним присоединилась Центральная Сибирь и скоро, очень скоро о моей победе будет знать и Урал.

Руки у меня горели, на сей раз реакция будет намного мощней. Я еще с утра приготовил термометр, чтобы в девять вечера измерить температуру своего тела. Триумф — это, конечно, здорово, но и делом надо заниматься. Главное, не забыть про термометр.

За пять минут до начала эфира я позвонил старикам. На всякий случай. Мама подняла трубку телефона.

— Ну что, вы готовы?

— Да, мы уже с шести часов сидим ждем. Вторую партию пельменей доедаем.

Ох, как я люблю домашние пельмени. Они у нас ни мамины, ни папины, они общие, всей семьей лепили. Мелкие, изящные и очень вкусные.

— Ну ладно, смотрите, после расскажете, как все прошло.

Температура у меня подскочила уже через пятнадцать минут эфира: 37,5. Мне просто жарко. Руки горят. Глаза пока в норме. Резкий скачок температуры. Фиксирую время. Скорее всего, сейчас показали объявление результата. Посмотрим, совпадет ли с Москвой. Еще два часа ждать. Телефон не умолкал. Большая часть моих родственников, друзей и просто знакомых торопились меня поздравить. Да, такое уже было, когда был первый эфир, но сейчас звонков было намного больше. Я понял, что моим старикам просто не пробиться ко мне, и сам им перезвонил. Занято. Звоню еще раз. Опять занято. С третьего раза мне удалось дозвониться.

— Ну, как вам кино?

— Хорошее кино. Поздравляем! — мама была очень взволнована. — Мне просто не верится. Нет, я знала, что ты победишь, но все равно волновалась. Даже когда ты позвонил и сказал нам заранее, я все равно не дышала, когда ведущий объявлял результат. Теперь нам совсем проходу не дадут. Я собралась тебе звонить, а у нас телефон не умолкает, звонок за звонком, пол-Троицка звонили поздравляли. Все тебе большой привет передают и поздравляют, все очень рады за тебя.

— А как сам эфир, в целом? Парней наших показали? А племянниц?

— Да, да, всех видели: и Женю, и Альберта, и Юлю с Дианой. Всех видели!

— Ну и хорошо, всем большой привет от нас! Скоро и сам посмотрю.

Я положил трубку. Да, теперь, как мама сказала, проходу им не дадут.

Мне было очень жарко. 37,9. Эксперимент — это хорошо, но уже не очень комфортно. Я пошел в душ. Майский дождь. Я еду на зеленом велосипеде, надвигаются тучи, и я понимаю, что не успеваю доехать до дому. Вокруг степь и больше ничего. Зонта, естественно, у меня нет. Становится темно, резкие порывы ветра пытаются сдуть меня с дороги. И вот начинается дождь. Это первый дождь после зимы. Он не был теплым, останавливаться и пережидать смысла не было, и я не останавливался, я только быстрей крутил педали. Зуб на зуб не попадал, я был мокрый насквозь. Вода, стекая с ног, попадала в кеды. Хорошо, что в кедах есть маленькие дырочки, подумал я. Да, тогда я так и подумал. Достаточно воспоминаний. Что там на приборе? 36,8. Норма.

Стол накрыт, коньяк в бокале. «Ну что, парни. Желаю вам приятного просмотра». Я пригубил немного коньяка. Знакомая мелодия программы действовала на меня как звонок на собаку Павлова. Я весь погрузился в просмотр. Все хорошо. Зал, люди, лестница, вот эти желтые цветы, не помню даже, куда они потом исчезли, вот объявление. Ну что ж, красавчик! Я нравлюсь себе. Только уж очень жарко. Чуть не забыл. Термометр под мышку и смотрю дальше. Да, показали всех. Это хорошо.

На термометре 38,5. Я нагреваюсь как от микроволн, но этиология другая. Это мысли, это радость, это поддержка, это миллионы глаз, направленных в мою сторону. Мне даже как-то не по себе. Я задумался о цифре. Это же самые настоящие миллионы глаз! Какая мощь скрыта в людях, а они даже не подозревают. Хорошо, если это поддержка, а если это осуждение? Остынешь до состояния айсберга и кровь замрет в жилах? Не исключено. Это лучше не проверять. «Поздравляем!» Женя произнес тост за успех. Мы выпили. Мы понимали, как нам сейчас не хватает Натальи. Как хочется, чтобы она так же радовалась здесь, сейчас, вместе с нами, вместе со всеми. Я налил себе немного коньяка и поднял глаза к небу: «У нас все хорошо, ты знаешь».

Ночь. Все спят, тишина, ничто не мешает думать. Я думаю о письмах. Иногда они короткие, иногда это целые романы. Вникая в эти строки, я мгновенно понимаю, в каком случае могу помочь и стану тем инструментом, который реализует принцип справедливости, а в каком случае просто бессилен и не смогу ничего сделать при всем моем желании, потому что это будет несправедливым. Мне жалко этих людей. Единственное, чем я могу им быть полезен, так это объяснить причину, но не просто сказать, потому что у тебя там, в прошлом, все плохо, а постараться найти конкретных создателей ситуации, назвать их имена, описать их внешний вид для того, чтобы мне поверили. Если человек не будет уверен в полученной информации, он ничего не будет делать, не будет менять ситуацию и выстраивать будущее своих потомков.

Мне редко пишут те, в чьем отношении принцип справедливости с положительным вектором реализовался. Многим людям кажется, что это они сами благодаря своим характеристикам нравятся людям. Они думают, что умеют общаться и убеждать, находить весомые аргументы, нравиться учителям и начальникам, что благодаря их упорству и трудолюбию у них получается осваивать что-то новое и успешно реализовывать свои планы. Им совсем невдомек, что за их успехами стоит большая любовь их кровных предков к людям и что предки их, там, в далеком прошлом, чаще всего были простыми людьми с добрыми намерениями, и своей добротой, как заботливые огородники, день за днем ухаживали они за своим огородом, осознавая, что урожай будет нескоро, но он будет, и он будет хорошим. Не всегда потомкам удается сохранить этот генофонд, и тогда они будут там, в далеком будущем, искать такого же, как я.

Мне нужно с ними разговаривать, с глазу на глаз, лично. Нет у меня такого таланта, чтобы печатным словом я смог бы убедить их в необходимости идти по пути справедливости, мне нужен контакт глаза в глаза, только так я смогу или помочь, или объяснить, почему так тяжело и что надо тащить этот груз с улыбкой, обращенной к людям. Ну что же, я буду работать, если я могу объяснить, значит, надо это делать, значит, надо , чтобы это стало делом моей жизни.

Мысль о том, что я могу и хочу быть проповедником, повергла меня в шок. Я хочу рассказывать людям о том, что знаю. В голове моей не укладывался простой момент: мой личный образ никак не совпадал с образом проповедника. Я всегда считал, что проповедник должен быть вне подозрений, как жена Цезаря! А я, прошедший и армию, и службу на таможне, любитель хорошего коньяка и сигаретного дыма, я тут явно ни при чем. Меня остановила моя память. Тот мужик, забивавший гвозди с закрытыми глазами острым концом молотка. Уж он-то был любитель пива и водки, каких поискать еще надо! А мы, пацаны, стояли и смотрели, раскрыв рты. Потому что он был мастером своего дела. Можно стать мастером, можно!

23.

Ну вот и мой первый рабочий день. Чувствую себя молодым специалистом. Диплом есть, а опыта нет, и спросить-то не у кого, кроме собственной интуиции. Я не раз бывал в ситуациях, когда теории было много, а практики никакой. Так что не привыкать. Утром на выходе из дома я столкнулся с женщиной приятной наружности, ведущей за руку девочку лет трех. Девочка серьезно на меня посмотрела и сказала:

— Здравствуйте.

— Здравствуй, барышня! В садик?

— Нет, мы с мамой идем в бассейн.

Хорошее начало дня, у кого-то — это я, а у меня — это встреча с девочкой и ее мамой, которые идут в бассейн. Хороший знак.

Кабинет был готов к работе. Светлый и чистый. Я приехал за полчаса до работы. Администратор Елена была сдержанной и деловой. Работоспособность у нее хорошая. Думаю, что ближайший месяц она отработает хорошо. Все ничего, но ей надо дать инструкцию.

— Лена, мне очень важно знать имя и дату рождения посетителя. И пусть на консультации он будет готов назвать имена и даты рождения своих родителей, бабушек и дедушек. Пока это все. Да, еще, если есть фотографии людей, о судьбе которых он будет спрашивать, это тоже будет хорошо. В идеале нужна фотография как в песне — девять на двенадцать, в фас, ну а если нет, то нет. Теперь смотри сюда. Вот видишь — календарь. В дни, отмеченные синим цветом, можешь записывать всех подряд. В дни, отмеченные желтым, не пиши тех, кто ищет пропавших без вести людей. В дни, помеченные красным цветом, не записывай никого, кроме детей. Да, вот список дат, с кем я работать не смогу.

— То есть? — администратор тряхнула челкой, резко подняв голову вверх.

— То есть люди, рожденные вот в эти даты, не поддаются коррекции, и им невозможно ничего объяснить. Да, если проблема розыска или установление причин гибели, личные вещи разыскиваемых или покойных мне не нужны.

Я осмотрел кабинет. Надо переставить стол. Мне надо смотреть на запад. Я присел на стул в приемной.

— Лена, вы тоже присядьте.

Несколько секунд тишины. Ну что ж, в добрый час.

Первый посетитель. Молодая женщина лет тридцати. Очень уставшее лицо. Сильно волнуется.

— Мальчик у меня не говорит, — тянется к сумке за фотографией.

— Стоп, фотографии пока не надо. Имя и дата рождения.

У меня очень удобное кресло, эх, такое бы мне на экзаменах. Закрываю глаза, задерживаю дыхание. Вращаю темноту против часовой стрелки, пока движения не видно, но я знаю, что оно есть. Вот появляется радужная пленка, свет усиливается, и она расступается. Большая собака. Она мелькнула и исчезла, а в памяти всплыл страх из детства: я вспомнил, как однажды, возвращаясь из школы, был внезапно атакован собакой. Было ветрено и морозно, воротник пальто был поднят. Собака кинулась мне на спину и вцепилась в воротник, я отбился от нее портфелем. Она меня сильно напугала, эта собака, и первым делом, придя в дом, я достал ружье и патроны. Я хотел найти эту собаку и убить ее. Сейчас я знаю, что я хотел сделать — я хотел убить не собаку, а свой собственный страх. Мне было тогда двенадцать лет. Манипуляции с оружием меня как-то успокоили. «В следующий раз я точно тебя прибью!» Об этом случае я забыл, но сейчас опять этот страх напомнил о прошлом. Я посмотрел на женщину.

— Ребенок напуган большой собакой. Я думаю, что это стрессовая реакция, и я знаю, как ее устранить.

Женщина меняется в лице.

— Я вас очень прошу, там, в приемной, сидит мой муж, вы только ему ничего не говорите, он не знает. — Она подтягивает рукав свитера вверх и обнажает шрам. — Да, Сережа очень испугался, мы гуляли с ним в парке, когда собака его сбила с ног, она его не успела укусить, я схватила ребенка и подняла его и тут она вцепилась мне в руку. Я так сильно закричала, что собака убежала. Вот с того дня Сережа и не говорит. А муж если узнает, то убьет меня, мол, это я во всем виновата, не углядела.

Смотрю мужа, да уж, сволочной персонаж, убить не убьет, но ударить точно может, совсем запугал ее.

— Тяжело тебе с ним. Это ж как в клетке. Безопасность он, конечно, тебе обеспечивает, но и свободы лишает.

— А куда я с ребенком, у нас ни работы толком, ничего. Да и люблю его, он хороший, когда не злой… так-то он хороший. Работящий очень.

Да — да, нет — нет. А женщина все придумывала для себя какие-то отговорки.

— Давай я тебя научу, как с ним общаться. Он у тебя ревнивый до ужаса. Не вздумай ему сказать, что тебе кто-то нравится, даже если кого в телевизоре увидишь, пусть это будет хоть Мао Цзэдун, твоему мужу не важно, жив тот человек или нет, у него один принцип: «Если тебе нравится Мао Цзэдун, значит, тебе не нравлюсь я!» Поняла? И еще, вечером, когда он приходит с работы, не доставай его расспросами — захочет, сам расскажет. Он очень устает. Водитель, что ли?

— Да, водитель, в Одинцово на маршрутке работает.

Я взял фотографию сына.

— Заговорит, не волнуйся, давай-ка его сюда.

Женщина позвала мужа с ребенком. Ребенок был очень похож на маму. Он прижимался к ней и не смотрел на меня. Папу я попросил подождать в коридоре. Так, мальчик рожден в июле 2006 года. Отлично. Я знаю, как привлечь его внимание.

Ему нужен свет. Хорошо, что у меня телефон с фонариком.

— Сейчас мы его включим, — приговаривал я, доставая телефон. Я нажал кнопку, фонарик включился и этого было достаточно, чтобы вызвать у ребенка интерес. Сам он еще не подойдет, ну что ж, я сам к тебе приду.

— Вот смотри, видишь — кнопка, нажми ее.

Мальчик несмело нажал на кнопку, фонарик погас.

— А теперь включи.

Фонарик вспыхнул. Я вернулся в свое кресло. Мальчик заговорит. На фоне сильного испуга произошел сбой иммунитета, но это не обычный иммунитет, это иммунитет энергетический — способность организма противостоять опасному виду энергии, опасному цвету, опасной волне. Всего их семь: семь цветов, семь волн, и каждая из них отвечает за определенные характеристики. Есть цвета, которые действуют положительно, а есть цвета, которые разрушают. Вот этот мальчик по своей энергетике отражает красный и оранжевый спектры, а разрушающими для него будут бежевый, желтый и коричневый цвета. Энергии одного лишь дня цвета разрушающего спектра не хватит, чтобы сбить природный спектр мальчика, это будет выглядеть так, как будто в костер камень бросить — ну ничего костру не будет, значит, это спектр месяца. Широта Московской области подпадает под облучение желтым спектром два месяца в году: в апреле и в августе. Август намного мягче и вряд ли мог вызвать такую реакцию, значит — апрель. Так, что нам там говорит китайская грамота? А грамота нам говорит, что день этот — 8 апреля 2008 года.

— Собака напала восьмого апреля?

Эх, жаль, фотографировать нельзя. У меня от моих же слов мороз по коже, а у нее — полнейшее изумление на лице.

— Записывай, и все, что запишешь, внимательно и скрупулезно выполняй. Первое. Подсветка в комнате, где спит ребенок. Будешь чередовать: один день синий спектр, другой день — красный. Второе. Из комнаты, где он спит, убрать все предметы коричневого и желтого цветов. Убрать все изделия из глины, камня, керамики и фарфора. Убрать цветы. Цветы ему не опасны, а вот земля в горшке — очень опасна! Третье. Исключить в одежде эти же цвета — от коричневого до желтого, исключить в питании сыр, мед, сухофрукты, орехи и все высушенные продукты. Четвертое. Каждый день — под душ, пусть слушает шум воды, нужна аудиозапись скрипа снега под ногами. Пусть отец почаще берет сына на руки, просто сажает себе на колени и все, он сейчас для ребенка — основное лекарство.

— Сережа, подойди ко мне.

Мальчик, поиграв с огоньком фонарика, уже не так сильно боялся меня. Он подошел ко мне. Сейчас мне нужно было сконцентрироваться, вспомнить эмоцию, связанную с мощнейшей энергией воды, которую я помню, и направить ее на ребенка. Как говорится, капля камень точит. Народ мудр. Быстро сбить мешающую мальчику энергетику коричневого спектра, энергетику земли, можно только водой. Можно, конечно, и энергию растительного мира использовать, но это будет долго — растения медленно разрушают землю. Лучше сделать все быстро, пока декабрь на дворе, и природной энергии воды более чем достаточно. Мне нужен конкретный источник, расположенный на юге от места рождения ребенка. В секторе его максимального комфорта. И я мысленно ахнул на него воду из одного кавказского водопада, который наблюдал в районе реки Бзыбь.

— Ну, как ты? Покажи язык?

Сережа показал мне язык.

— А теперь скажи «а».

— Аааа, — протянул мальчик.

Обалдевшая мама хотела что-то сказать, но я поднес палец к губам. «Тссс, не акцентируй!» Не надо. Постепенно все. Чудеса делаются медленно. Вот и китайская грамота пригодилась. Да, если воспринимать Библию как сказку, то мало что получится. Если не знать школьный курс физики, тоже мало что получится. Нужен синтез знаний, как научных, так и не очень. А эта семья теперь будет жить дружно. Я теперь для них кое-что значу, и они мне очень верят. Мальчик заговорит. И тогда его папа вспомнит мои слова о том, что его жена дана ему как индикатор. «Увидел слезы у нее на глазах — считай не справился. Имей в виду, ее слезы — твоя неудача».

Чудеса делаются медленно, но они на каждом шагу. Мы сами авторы этих чудес. Экзаменатор, совершенно неожиданно поставивший высший балл на экзамене за посредственный ответ и сам недоумевающий от своих действий, но решивший тем самым судьбу студента; звонок с потерянного вами телефона, когда вы уже были готовы купить новый со страшной досадой на себя самого — ведь там были все важнейшие контакты; найденные моей мамой, в тот момент беременной мной, пять рублей, когда ей так сильно хотелось мороженого, а денег не было. Надо просто это видеть и понимать, что иногда кто-то является представителем Творца для нас. И тот человек, потерявший пять рублей и, возможно, огорченный этой потерей, он тоже был представителем Творца.

Меня все время не покидает ощущение необходимости всех этих людей, которые приходят ко мне на консультацию. Я начал воспринимать их как некие необходимые остановки. На одной — пополнил запас интуиции, на другой — харизмы, на третьей — сам отдал излишек агрессии безвольному бедолаге. Где-то стоянка пять минут, где-то полчаса, но все эти остановки складываются в определенный маршрут, в определенный путь. Что в конце — я не знаю, но двигаться туда надо!

Две женщины, молодая и старая. Мать и дочь. Они не похожи: дочка в отца, в его породу, светло-голубые, разбавленные водой глаза, русые волосы. Тонкая, прозрачная голубоватая кожа, тонкие пальцы, ногти без лака. Украшений минимум, белого золота серьги с синим сапфиром и тоненькое колечко. Они сидят напротив друг друга. Мама рассматривает меня, а я рассматриваю девушку. Она уставилась в стол и почти не дышит. Девушка получила от мамы инструкцию: «Без моей команды — ни слова!» Девушка слушает свою маму и будет ждать знака. Я обращаюсь к маме.

— Ответьте мне, пожалуйста, на один вопрос. Только «да» или «нет». Ваша дочь говорила вам о том, что у вас фиолетовый свет над головой?

Мама изумленно смотрит на меня.

— Да, говорила.

— И как вы прореагировали?

Я бы мог не задавать этот вопрос, я и так знал ответ. Мама потащила дочку к психиатру, а дальше — больше. До инвалидности с диагнозом «шизофрения».

— Вы понимаете, Александр, она с детства не такая, как все, не от мира сего. Училась неплохо, институт закончила, бухгалтер она. Но всегда какая-то одинокая. Сидит до полночи, слова не вытащишь из нее. А тут еще этот фиолетовый цвет. Я и подумала, что у нее какие-то галлюцинации и прочее.

Я взглянул женщине в глаза. Между нами было метра полтора-два, но смотрел я в упор.

— Вы сами-то пытались ее понять?

— Ну так я же не врач!

Да, подумал я и не врач, и мать посредственная.

— У нас с ней одинаковые галлюцинации. Дело в том, что я тоже вижу у вас над головой фиолетовый цвет, но у меня нет диагноза «шизофрения», и знаете почему? Потому, что я не шизофреник. Потому, что некоторые люди, например такие, как ваша дочь, умеют видеть несколько иначе, и это не патология.

Я обращался к пожилой женщине, рассверливая ее взглядом, но слова мои между тем были обращены к девушке. Ей внушили, что она психически нездорова, и тем самым сломали жизнь. Страшное состоит не в том, что ей выставили диагноз, ужас в том, что она поверила в это и теперь превратилась в одно большое сомнение. Любое действие во внешнем мире, любая собственная мысль воспринималась ею только сквозь фильтр болезни. Возможно, я вижу правильно, а возможно, и нет, возможно, это мои мысли, а может быть, кто-то за меня думает. Теперь, сидя в кресле и рассматривая стол, девушка начинала понимать, что то, как она видит свою маму, может видеть кто-то еще, и этот кто-то еще не больной. Я попросил маму подождать в коридоре.

— Рассказывай, дежавю часто бывает?

— Дежавю?

Девушка не знакома с этим термином.

— Ну, когда тебе кажется, что ты какие-то вещи, ситуации уже видела.

— А, это... Это у вас тоже было?

— Да, и не только у меня.

— Часто, даже когда фильм смотрю новый, иногда знаю, что будет дальше, не сюжет, а прямо конкретное действие.

Я беру лист бумаги и пишу цифру восемь. Она не видит, что я делаю.

— Расскажи свои сны?

— Сны... Я боюсь их, я убегаю и мне страшно. Иногда снятся и хорошие.

— Какое у тебя настроение после сна?

— Ну, если сон хороший, то хорошее, а если плохой, то не очень, мне сразу хочется быстрей встать и умыться.

— Под водой долго стоишь? Час примерно?

— Да, час, иногда дольше. Люблю умываться, лицо умывать. Врачи говорят, что это синдром навязчивых движений, но я не могу с ним бороться, мне так нравится ощущение прохлады.

Я и без китайской грамоты вижу: ее энергетика — вода водой. Я протягиваю девушке чистый лист и ручку.

— Напиши одну цифру от единицы до десяти.

Она склоняется над листом бумаги, а я рисую над ее головой восьмерку. «Восемь», — я проговариваю мысленно и представляю, как она выводит восьмерку на бумаге. Она выводит цифру восемь. Я беру свой листок и переворачиваю: восемь. Она хорошо слышит и, похоже, даже слишком хорошо — это перебор.

— Скажи, голоса слышишь?

— Да, иногда очень четко, как будто радиоприемник, иногда они мешают.

Она должна их слышать при повышенной влажности или дожде и после заката.

— Когда чаще слышишь, не замечала?

— Замечала, я дождь очень люблю, но после дождя голоса — и мужские, и женские.

— А по времени, когда их больше — днем или ночью?

— Чаще ночью, но если идет дождь, то днем.

— Я могу помочь тебе, если ты хочешь.

Я написал ей целый список рекомендаций, а потом приступил к работе. Теперь мне нужны были глина и камень. Этого добра в моей копилке было навалом — в своей жизни я много строил, в том числе и собственный дом. Девушка, как река без берегов, с высочайшей интуицией, но спонтанна и не может управлять процессом. А мама — обычная, и винить-то ее нельзя. Голоса, спонтанность, внезапность интуитивных озарений — все это я смогу убрать, создав реке «берега». Это будет не плотина, это будет глубокий канал с красивым парапетом, с каменными откосами и красивой набережной!

— Да, хочу, только сны оставьте, они, хоть и страшные, но зачем-то мне нужны, я их жду. Иногда они и хорошие бывают. Вы знаете, а я когда к вам шла, я знала, как идти, я уже это видела, и вас видела, только сначала мне страшно было, думала, вот опять началось.

Я попросил ее закрыть глаза. Сейчас из глины и камня я буду строить красивую набережную, по которой будут гулять счастливые люди, а внизу будет бежать река, мощная и глубокая, имеющая строгое направление движения, река наполненная жизнью.

Я вытер руки о какую-то тряпку. Все, дело сделано, теперь надо смотреть, что получилось.

— Открывай глаза.

Девушка открыла глаза, они были синими-синими. Ой, какая необычная девушка с диагнозом. Она совершенно не похожа на свою мать и, судя по дате отца, на него тоже не совсем похожа. Какая-то прапрапрабабка явила свою генетику в современный мир, и эта генетика явно в нем неуместна.

Я подумал, куда бы определить эту девушку с такой энергией и с такой честностью. Кроме как в монашки, мне ничего не шло в голову. «Да, эта будет молиться за людей. Будет просить. За себя не сможет, считает себя недостойной, а вот за других — запросто». В современном мире институт монашества не актуален и не моден, но сколько их, таких, кто может просить за народ, сидят в бухгалтериях, или в библиотеках, или водят трамваи.

«Ох, непростая девушка, непростая». Мне хотелось ее задержать и основательно поговорить о ее снах. Что-то она там видит интересное, интересное для многих. Но время приема истекло. Я вспомню ее через несколько лет. В Стамбуле.

Я надеюсь, что таких, как она, много, только они не знают. Эта мысль о том, что люди не знают об этих своих качествах, меня поразила. Надо будет как-то объяснить. Может, книгу написать? До книги мне было еще далеко, но мысль я сохранил.

24.

Я приехал на Ваганьковское. Сегодня день рождения Сергея Есенина. Почитатели таланта поэта уже были в сборе, их было очень много. Какой-то мужчина декламировал стихи. Мужчина очень хорошо читал. Голос был сильный, глубокий и на удивление тихий. Слова вылетали вместе с его дыханием и так же, вместе с дыханием, еще долго вибрировали и медленно растворялись в морозном воздухе. Я заметил батюшку с рыжей бородой. Он стоял поодаль и слушал стихи. Он понимал Есенина, он повторял про себя все, сказанное чтецом, и я увидел перед собой человека, не просто облаченного в церковную одежду проповедника, а человека, для которого слова Есенина имели исконно понятный смысл, то, что он эти слова знал наизусть, то, что эти стихи звучали в его жилах и жилах его многочисленных предков. «Хороший батюшка, искренний».

Светлана Петровна стояла в окружении многочисленных родственников и друзей. Я не стал ее беспокоить. Но она, увидев меня, подошла сама.

— Здравствуй, Саша! Вот видишь, сколько народу собралось. Мне очень нужна правда. Для них, для всех, чтобы ни у кого сомнений не было! Давай, я тебя с батюшкой познакомлю.

— Вы уверены, Светлана Петровна? Это будет удобно? С точки зрения религии у нас могут быть расхождения во взглядах. Я не в смысле теории Дарвина, я в смысле Бога.

— Я ему о тебе рассказывала, у него тоже правильное понимание Бога. Не смотри, что он молод, он очень умен. Отец Андрей, вот Александр, я вам о нем говорила.

— Да, да. Здравствуйте, Александр, очень приятно познакомиться. Светлана Петровна мне рассказывала о вас. Я сам давно изучаю все, что связано с Сергеем Александровичем, и у меня есть информация от старых священников, которые знали того, кто отпевал поэта. В те времена сомнений не было ни у кого по поводу причин его ухода. Собственно, поэтому я здесь и буду молиться за него.

Интересная информация. Значит, в кругах церковных все-таки знают часть правды? И это хорошо. Будем надеяться, что и в светском обществе изменится мнение. Я понимал, что должно произойти, чтобы мнение изменилось.

— Светлана Петровна, вы представляете, что должно произойти, чтобы тайна была раскрыта?

— Саша, если бы я себе этого не представляла! Но я надеюсь, что все станет на свои места. Сама я спокойна, вот видишь — и батюшка пришел, и люди пришли, но мне очень обидно, очень, что великого поэта, который никого в жизни не боялся, который говорил правду в глаза, выставили неврастеничкой, не справившейся со своей хандрой. Да, он тосковал, но тоска и боль его имели выход и не туманили мозг. Его тоска в его стихах. Он был очень веселый и дерзкий! Хулиган, одним словом! Да, Саша, кстати, а ты был на спектакле Сергея Безрукова «Хулиган»?

— Нет, пока еще не был.

— Сходи, обязательно сходи! Так, как читает Сергей, никто не читает! Ты будешь потрясен! Как-нибудь я вас познакомлю.

25.

Ночь 29 декабря 2008 года. Все спят. Кажется, что предновогодняя суета укачала Москву, но это только видимость. Интернет наполнен жизнью: тысячи людей сидят в своих домах, квартирах и квартирках, просматривая миллионы терабайт информации, и я — один из них.

Открываю очередное письмо, выбор мой абсолютно случаен, но внутри себя я понимаю: так надо. Если я его выбрал, значит, в этом есть необходимость, и, вполне вероятно, это не мой выбор, а просто реализация желания автора письма. Может быть, поэтому я отвечаю только на часть писем, на ту часть, авторы которых имеют право на реализацию своих просьб?

Письмо было тревожным, я еще не прочитал его до конца, я еще не понимал смысла написанного, но тревога человека, написавшего это письмо, мне передалась моментально.

«Здравствуйте, Александр. Я пишу вам потому, что жизнь поставила меня перед очень жестким и, скорее, даже жестоким выбором. Я всегда решала свои проблемы сама, во всех ситуациях находила варианты, но сейчас я в тупике и не знаю, что делать. Моя мама тяжело больна. Доктора из НИИ гематологии сегодня поставили меня перед выбором: у меня есть только эта ночь, а утром мне нужно дать ответ по поводу начала химиотерапии. Гарантировать результат они не могут. Так и сказали: ваша мама уже в возрасте и выдержит ли она химиотерапию, мы не знаем, шансы пятьдесят на пятьдесят. Я принимаю решение за другого человека, я боюсь ошибиться. Я боюсь, что химиотерапия ее убьет, и я боюсь не использовать шанс, если вдруг он есть».

Я посмотрел на фотографию. Мне пишет симпатичная девушка из города Химки. А вот дальше со мной случилось странное.

Тысячи, тысячи писем, но никогда до этого момента я не просил номер телефона у автора письма. Здесь же мне показалось, что эта девушка должна услышать мой голос, не прочитать мой ответ, а именно услышать. Я еще не знал, что я буду говорить ей, я еще не смотрел ситуацию с ее мамой и не знал ее имени и даты рождения. Я написал: дайте мне свой номер телефона, имя и дату рождения вашей мамы, вас и вашего отца. Девушка ответила моментально, у меня было ощущение, что она стала отвечать раньше, чем я спросил. Узнав имя и дату рождения больной, я был в раздумье не более минуты. Взяв с собой телефон, я вышел из квартиры на лестничную площадку и набрал номер.

— Алло, Алена? Это Александр Литвин. Алена, прекратите сомневаться, нужно начать лечение. Все будет хорошо.

— Вы уверены? — голос ее дрожал, и я на другом конце Москвы почувствовал весь ужас, в котором она пребывала.

— Лечить!!! — Я проорал это свое «лечить» в телефонную трубку. Это слово эхом гульнуло по подъезду многоэтажки и затихло.

— Можно, я вам буду звонить, если что?

— Да, конечно, звоните. До свидания и с наступающим Новым годом.

Я закурил сигарету. Только что, несколько секунд назад, я взял на себя ответственность за жизнь совершенно незнакомого мне человека. Да, я понимал, девушке не будет легче оттого, что я взял ее ответственность на себя. В случае, если ее мама не выдержит химиотерапии, она будет винить себя в тысячу раз больше из-за того, что доверилась мне, но я был на сто процентов уверен в том, что все пройдет хорошо. А у нее не было вариантов. Вернее, один вариант был. Я.

26.

Новый год. Мой первый Новый год в Москве. Для меня это семейный праздник, и я люблю его отмечать дома, но так уж получалось, что иногда я встречал его на борту самолета, а чаще всего на службе. В новогодние приметы я очень верю. Когда я встретил Новый год в самолете, у меня весь год в самолете и прошел. Сто двадцать дней в командировках с еженедельными перелетами по всему Советскому Союзу на всех типах самолетов и вертолетах, включая такие допотопные, как Ил-14 с квадратными иллюминаторами. У меня было три серьезных предпосылки к авиакатастрофам, но Бог миловал.

Однажды в новогоднюю ночь мы летели на Ан-26 из Хабаровска. Я тогда еще работал начальником медицинской службы воинской части на Чукотке.

Накануне мне приснился нехороший сон: я сижу в своем кабинете, вдруг началось нечто похожее на землетрясение, и железный сейф наклонился и стал падать на меня. Я был в каком-то ступоре, я не смог отойти от него, я только выставил вперед руки и стал его отталкивать, сил у меня было все меньше и меньше, а сейф был очень тяжелый. Я проснулся среди ночи, руки просто гудели от напряжения, я не помнил, отодвинул я сейф или нет. Перед полетом я не испытывал особого восторга. Я редко молюсь, но здесь я попросил Бога поддержать меня.

Ан-26 был загружен под завязку. В основном это были оружие, боеприпасы, мои медикаменты. И еще мы везли картошку. По чукотским меркам — страшный дефицит. Маршрут наш был Хабаровск — Охотск — Кеперввеем. Приземлились в Охотске, пока экипаж что-то там решал, я сходил в поселок и купил красной рыбы и икры. В магазинах она не продавалась, и нужно было просто спросить у любого прохожего, где можно купить, тебе и все расскажут, и дом покажут. И рыба, и икра были отменные. Мы расположились в салоне самолета, нарезали хлеба и рыбы, масло у нас было с собой, ну и, естественно, был с собой спирт, не без этого. Самолет выехал на полосу и начал разгоняться. Все шло своим чередом, и только мы выпили за успешный взлет, как открылась дверь кабины: белый как полотно командир экипажа жестом указал на бутылку со спиртом. Старшина Попов налил ему полстакана, и только в момент, когда командир протянул руку, мы поняли, что что-то произошло. Трясущейся рукой он взял стакан и залпом опрокинул его. Выдохнув, командир обвел нас торжественным взглядом.

— Поздравляю!

— С чем? Что случилось?

— А случилось то, что мы с вами — фартовые. Могли набрать полный рот земли, но не набрали. Давайте уж все вместе, да под рыбку.

Мы разлили спирт и уставились на командира.

— О происшествии молчать! Ситуация следующая: загрузка у нас под завязку и даже чуть больше, плюс к этому полоса в Охотске оказалась короткая. Мы на последнем метре оторвались. Так что искренне поздравляю!

Вот он, мой сейф, государственный ящик, к чему приснился. Даже если бы я реально понял, что есть угроза катастрофы, я не представляю, как бы я отказался от полета — это армия.

Это все в прошлом, а пока Новый год. И он крайне необычный для меня и моих детей. Мы потеряли маму, и эта потеря навсегда изменила нашу жизнь. Участие в проекте внесло какой-то посильный баланс и дало возможность держаться, как некая отвлекающая доминанта, но когда я оставался наедине с собой, мне было нелегко уйти от мысли о несправедливости мира. Может быть, именно поэтому я и спал-то всего четыре часа в сутки — лишь бы не думать, и читал, читал эти письма, которые сыпались, как осенние листья, как снежинки зимой. Но сколько в прошлое ни смотри, там ничего не изменится. Надо смотреть в будущее.

Мы накрыли стол и приготовились встречать Новый год, первый Новый год в Москве. Десятки поздравлений по телефону и тысячи — в Интернете. Но в полночь мы отключили телефоны. С Новым годом! Пусть у нас все получится!

А я, что называется, в своем репертуаре. Выхожу на улицу и жду, кто первый попадется мне навстречу. Час ночи. Первый час Нового года. Целая толпа веселых людей выворачивает из-за угла, человек десять-пятнадцать. Впереди наперегонки бегут смеющиеся дети. Хорошо, что девочка более спортивная, она вырывается вперед и проносится с визгом мимо меня, запыхавшийся мальчуган устремляется за ней. Молодец, девочка! Я понял тебя: хочешь, чтобы все получалось, старайся. Буду работать на опережение! Взрослые, поравнявшись со мной, дружно поздравили меня с Новым годом.

«И вас с Новым годом!» Толпа исчезла за поворотом, и улица обезлюдела. Никого.

Настоящий Новый год будет только в феврале, там сменится энергия уходящего года, а пока это только календарный год, но так как эмоция этого дня у огромного количества жителей планеты работает практически в унисон, этот день тоже имеет важное значение. Эх, понимали бы люди, как работает коллективная мысль, они бы думали одновременно и только о хорошем.

Сейчас вернусь домой и буду всех поздравлять с наступившим Новым годом и желать всем максимальной степени свободы в перемещении в пространстве и в освоении этого мира. Логика моя проста и понятна. Если человек имеет возможность двигаться когда угодно, куда угодно и с кем угодно, он свободен, а это значит, у его близких все хорошо, значит, он сам здоров и его финансовое состояние помогает выбирать любые маршруты. Пусть будет так.

27.

Сон я не заказывал, он пришел внезапно, и по своему тревожному состоянию в момент пробуждения я понял, что новости будут неважные. Я видел дом своих родителей, ворота, и один из столбов, на котором навешены полотна ворот, был поврежден какой-то гнилью. С утра позвонил старикам.

— С Новым годом! Как вы?

— Все хорошо, встретили, смотрели салют. Дед, правда, не ходил, слабость у него и температура тридцать семь держится, простыл.

Мама у меня любительница салютов, она вообще любит все детское, энергия такая, я весь в нее в этом плане.

— Мама, отца надо госпитализировать, и чем раньше, тем лучше! Я думаю, что это пневмония.

На самом деле я думал, что это рак и без операции не обойтись. Мой папа по китайской классификации относится к энергии дерева, растительного мира. Во сне деревянный столб ворот, который папа сам устанавливал, был подвержен разрушению. Интуиция и китайская грамота быстро увязались в одну нить. Повреждение небольшое, потребуется ремонт, нужно вырезать поврежденный участок и отреставрировать. Так я подумал в своем сне. А сейчас, после разговора с мамой, думал уже в реальности. «Мама, я приеду к шестнадцатому, к твоему дню рождения, а пока отправь отца в больницу».

Надо что-то делать. Я вспомнил одного человека. Меня совсем недавно познакомили с одним раввином, это был очень интересный мужчина по имени Авигдор. Он не говорил по-русски, он смотрел на меня, а я на него. Я знал, что его интуиция не уступает моей, и я знал, как он сильно верит в Бога. Верить в Бога легче, если есть интуиция. Нас представили друг другу, и раввин, совершенно неожиданно для меня, подарил мне серебряное кольцо.

Я позвонил в Израиль, помощнице Авигдора. Женщина неплохо говорила на русском языке. Поставив телефон на громкую связь, она перевела мою просьбу раввину. Авигдор ответил, что будет молиться. Он сказал мне: «Ты сам проси там, в России, а мы будем здесь. Твой отец хороший человек, и неважно, какой он веры, — Бог услышит». Авигдор назначил время молитвы на следующий день. Он сам мне перезвонил. «Проси с нами вместе, как умеешь, так и проси».

В трубке раздался странный звук, а потом я услышал молитву, я не понимал слов, но я понимал смысл. Я тоже стал просить помощи. После молитвы я спросил Авигдора, что это был за звук. «Ты слышал звук шофара, ритуального рога. Мы трубим в него со времен Моисея. У нас так принято. Все будет хорошо, Александр». Последнюю фразу он сказал на русском языке. Я никогда не носил колец, никогда, даже обручального кольца, а кольцо Авигдора я ношу постоянно. Оно мое.

Незадолго до Нового года газета «Комсомольская правда» задала мне вопрос: ожидать ли каких-то аварий или катастроф на территории России в ближайшее время? Вопрос был неожиданным, интервью в большей степени касалось моего недавнего участия в проекте, и я как-то не собирался давать прогнозы. Но вопрос прозвучал, и я ответил, что ближайшая катастрофа наиболее вероятна девятого января на внешней границе России, в южном секторе.

Я совсем забыл об этом прогнозе и уж никак не мог подумать, что, озвучив проблему, сам и буду участвовать в ее решении.

А десятого января в двадцать два часа по местному времени мне позвонили с телеканала: «Александр, к нам поступил звонок из Алтайского края. Там вчера исчез вертолет. Люди, которые занимаются поиском, просили связать их с вами. Вы согласны им помочь?»

В это время я находился в городе Сатка, в горнозаводской зоне, куда я приехал проведать Наташину маму и мою тещу, Любовь Михайловну. Накануне я был целый день в пути, не смотрел телевизор и не слушал радио, компьютера у меня не было, и я был совершенно не в курсе событий. В момент звонка я даже свой прогноз не вспомнил. «Да, конечно, дайте им мой телефон». Буду работать или нет, позже определюсь, но поговорить мне с ними надо.

Через десять минут мне перезвонил человек из Алтайского края. Он представился директором Катунского биосферного заповедника Александром Викторовичем Затеевым.

— У нас пропал вертолет, пропал вчера, не вышел на связь. На борту одиннадцать человек. Погода плохая, мороз минус тридцать и ветер. Местность высокогорная, территория громадная, несколько тысяч квадратных километров. Если есть возможность, подскажите, где искать.

Мужчина был очень расстроен.

— Александр Викторович, на этом борту есть люди, с кем вы лично знакомы? Не просто шапочное знакомство, а вот просто очень хорошие знакомые.

— Да, есть. Там на борту мой друг.

— Стоп, стоп, — я остановил его, — мне нужна информация о дате его рождения и имя. И все, больше ни слова.

Александр Викторович назвал имя и дату рождения своего друга.

— Сейчас я буду его описывать. Вы меня не перебивайте, пожалуйста, и дослушайте все, что я скажу. Если мое описание совпадет с характеристиками вашего друга, то я буду его искать, если не совпадет, вы мне так и скажите. И тогда, извините, я не смогу вам помочь. Слушайте: невысокого роста, плотного телосложения, голубоглазый мужчина, по энергии весельчак и тамада, не агрессивный, очень музыкальный, хорошо поет и играет на музыкальных инструментах.

— Да, это Вася. Он жив?

Вот он, вопрос, который всегда рвет мне душу.

— Соболезную вам, Александр Викторович. На этом свете его нет. Я перезвоню вам, как только пойму, где вертолет. В том, что произошла катастрофа, у меня нет сомнений. Дайте мне точку старта, откуда вылетел борт.

Из оборудования у меня только «Атлас автомобильных дорог» 1970 года выпуска и собственная голова. Она нужна мне больше, чем атлас и Интернет. Но ей нужно помочь. Мне нужно очень, очень внимательно рассмотреть карту и постараться запомнить территорию поиска. В атласе этот район представлен одним большим пятном. Дорог там, естественно, никаких нет. Так, нужна лупа, без нее ничего не разглядеть.

Сижу минут двадцать, колдую над картой. В голове только один вопрос: «Где находится тело Василия, рожденного...» У меня нет его фотографии, у меня только его описание, которое я сам и озвучил. Директор заповедника сказал, что я описал его очень точно. Буду верить себе.

«Где находится тело Василия, рожденного...» Если сказать просто имя — не найду. Душа его, скорее всего, возле родных сейчас, а мне нужно тело. Я кручу черноту, она раскрывается, и я вижу фрагмент карты. Успеваю заметить синюю петлю реки, первую букву «Б» и, чуть южнее, точку населенного пункта, название которого не читается, что-то двойное. И еще немного южнее склон горы, но это уже не карта. Крутой склон.

С лупой, миллиметр за миллиметром исследую примерный район нахождения. Вот знакомая река, на этой карте даже с лупой с трудом могу прочесть — «Башкаус». Да, Башкаус. Иду на юг, вот деревня — Кош-Агач. И теперь от нее на юг. Сколько километров — непонятно. Может, пятьдесят, а может, и все сто. Для поиска это очень большой разброс. Но что есть, то есть. Буду звонить. На Алтае уже третий час ночи. Трубку подняли сразу.

— Александр Викторович, искать надо на юг от деревни Кош-Агач. В сторону границы с Монголией.

— Спасибо, Александр, я передам сведения поисковикам!

— Пусть торопятся с поиском. Там есть живые.

Я отключился. Карту я видел четко, и линию реки зацепил, и эта деревня с двойным названием, там больше на карте таких нет, только эта. И граница с Монголией. Я, помнится, говорил, что будет какая-то катастрофа, южные рубежи. Бог даст, найдут. А Василия жалко, веселый был.

Примерно в одиннадцать часов раздался звонок.

— Здравствуйте, Александр, Алтай беспокоит. Нашли вертушку, подробностей пока не знаю, но в том районе, что вы подсказали. Как только рассвело, отправили туда поисковиков и нашли.

— Живые есть?

— Да есть, пока не знаю, сколько, и про Васю пока тоже нет сообщений.

Позже я прочитал в Интернете: на месте крушения вертолета Ми-8 обнаружены восемь погибших и трое раненых в крайне тяжелом состоянии.

Кто я? Кто показал мне это место? Кто показал мне Василия? Кто эти спасшиеся люди? Их время еще не пришло? Видать, не пришло.

Интересный у меня отпуск получается, как каникулы у Бонифация. Я с ужасом подумал, что ведь так теперь и будет. Я буду вечно на работе. Мало того что Интернет забит просьбами, так еще и телефон не умолкает. Земляки, как только узнали, что я на Урале, всеми правдами и неправдами добывали мой номер телефона, а этот номер был у меня уже лет десять, не меньше, ну и, естественно, его знали многие мои сослуживцы и знакомые, а тут еще телевизионщики периодически подкидывают работу. Вернусь в Москву, поменяю номер, обязательно поменяю.

Вернувшись из Сатки в Троицк, я отправился поговорить с лечащим врачом папы. Она сказала, что выписала направление в онкоцентр на обследование.

— Что-то лечим, лечим, а все слабость и субфебрильная температура.

— Давайте направление.

Я взял в руки эту бумажку. Она не вызвала во мне какого-то трепета — да, диагноз серьезный, но я уверен, что папа справится. Нет у него такой привычки — болеть. Да и предки постарались, дали хороший иммунитет, а он — главный боец с онкологией.

Мы приехали в онкоцентр. Народу — просто тьма, и везде гигантские очереди. Мне ничего не оставалось делать, как светить лицом перед персоналом. Светить пришлось недолго: первая же проходившая мимо меня медсестра зашелестела мозгами.

— Эээ?

— Да-да, я Александр Литвин, и у меня к вам просьба. Вот мой папа, и его надо быстро обследовать.

Через полчаса у меня уже был диагноз. Врач-рентгенолог был весьма опытным специалистом. Он пригласил меня к себе и пытался подобрать нужные слова.

— Доктор, я знаю диагноз, меня интересует время. Мне хотелось бы, чтобы операция была несколько позже, хотя бы через две недели.

Доктор облегченно вздохнул. Я помог ему, сильно помог. Я знаю, как это тяжело — озвучивать диагноз, похожий на приговор.

— Давайте с онкологами посоветуемся и решим. По моему мнению, пару недель можно и подождать.

После спонтанного консилиума определились

с датой операции, и мы с папой вернулись домой в Троицк. Папе я сказал, чтобы не волновался, все будет хорошо. Но оперироваться надо чуть позже, в конце января — начале февраля, когда будут сильные морозы. Я не стал ему объяснять, почему именно так. Просто у людей с энергией растительного мира все операции протекают лучше в зимнее время. Когда обстригают деревья для формирования кроны? Только когда они без листьев.

Папу прооперировали, и он пошел на поправку. Доктор сказал ему, что курить он может не бросать, так как это стресс, а организму лишние нагрузки ни к чему, но первые пару недель нужно воздержаться. Папе как человеку, способному выдержать отказ от курения в Великий пост — от окончания Масленицы и до самой Пасхи, эта новость понравилась. Значит, все не так уж плохо.

28.

Алена позвонила мне в марте. Девятнадцатого числа.

— Александр, маме опять плохо, вы не могли бы помочь? После третьей химиотерапии ей стало намного лучше, но сейчас состояние вдруг резко ухудшилось.

Я шел по улице и слушал ее голос, той тревоги уже не было и отчаяния не было, была только надежда на мою помощь. Я не сообразил сразу, насколько ухудшилось состояние ее мамы.

— Приезжайте, привозите маму, я посмотрю.

— Мама в реанимации, я хотела бы, чтобы вы к ней приехали. Я вас отвезу и привезу.

— Сегодня четверг, у меня все расписано. И завтра я тоже занят и не смогу отменить прием. Давайте в субботу, двадцать первого числа.

Мы договорились о времени, а я стал думать, как помочь, минут пять сидел в какой-то прострации. Голос Алены не давал мне возможности расширить объективную реальность до понимания проблемы. Что-то было в ее голосе такое, что меня тревожило.

В субботу, минута в минуту прозвенел звонок. Звонила Алена.

— Я на месте, светло-голубой «Опель».

Я сразу увидел автомобиль и кое-как сквозь мокрый снег, пропитанный реагентами, пробрался к нему. Открыл дверь.

— Алена?

— Да, Александр, здравствуйте!

На меня смотрела симпатичная кареглазая длинноволосая девушка. Я пристегнул ремень, и мы поехали по Москве. Отменно водит машину, подумал я. «Опель» был необычный. Это был кабриолет. Я впервые в жизни ехал в кабриолете.

«А я сяду в кабриолет», — в голове крутанулась песня в исполнении Успенской. Стоп, я еду в НИИ гематологии по очень важному делу, я еще не знаю ни своей стратегии, ни тактики, и при чем здесь Успенская с ее песней? Кабриолет как кабриолет. Нет, не может он так на меня влиять, значит, это хозяйка машины, ее энергия заставляет меня беззвучно мурлыкать. Я поймал себя на мысли, что не пел уже лет сто.

Сознание вернулось на место. Я посмотрел на Алену. Да, того ужаса я не чувствую, но все равно она переживает. Хорошая дочь. Когда она мне написала письмо в первый раз и я увидел дату рождения ее мамы, был несколько удивлен: у молодой девушки мама была ровесницей моей мамы. Бывает. Но редко. Сейчас посмотрю, что там и как.

Мы заехали в клинику через какие-то задние ворота. Алена энергично шла впереди на высоченных каблуках, я шел за ней и думал, что вот дал же Бог такую фигуру, и как она на таких каблуках ходит, это же эквилибристика какая-то. Если бы я не знал ее дату рождения, я все равно бы ее вычислил сам: она была теплым августом. Мы зашли в тесную кабину лифта и рассматривали друг друга. Она спокойно, а я нет. Мне хотелось ей улыбнуться. Совершенно не время и не место, больничный лифт, а я веду себя неадекватно. Значит, все-таки она.

Когда мы вышли из лифта, моя улыбка была просто сметена энергией горя. Не могу описать свое состояние, когда вокруг тебя люди, ожидающие смерть. Все мы знаем, что умрем, а эти знают, что скоро. Мимо нас провезли каталку: молодой, совершенно лысый парень лет двадцати, ему уже оставалось недолго, но он яростно рассматривал жизнь, и его взгляд остановился на мне. «Держись», — подумал я, глядя ему в глаза, он понял, улыбнулся в ответ. Маленькие дети, пяти-шести лет, и тоже без волос, тихо-тихо, как старички, шли по коридору. Все были в масках. Я тоже был в маске, ее Алена дала мне еще в лифте. Иммунитет у пациентов этой клиники крайне низкий, поэтому все в масках. Медсестра подала мне халат и бахилы и повела в палату.

Палата выглядела как бокс для особо опасных инфекций. Ничего лишнего: металл, стекло и полная изоляция от внешнего мира. Мама Алены знала меня — это она видела меня по телевизору, это она попросила Алену найти меня. Я поздоровался, присел на стул и попросил закрыть глаза. «Отправлю-ка я тебя для начала на родину, в оренбургские степи». Я закрыл глаза — и ветер зашумел у меня в ушах, и ковыль цеплялся за штаны, и степные запахи перебили запах больницы. Степь я люблю с самого своего рождения и знаю, как она действует.

Я прислушался к дыханию больной, оно стало глубже и ровнее. То, что я сделал в следующий момент, не было запланированным. Это произошло так внезапно, так неожиданно, но я как будто действовал по хорошо знакомой инструкции. Я увидел сито, через которое просеивают муку, но оно было необычным. Каждая струна этого сита представляла собой тонкую ледяную нить. Температура сита была равна абсолютному нулю. Минус 273,5 градуса по Цельсию. Сито парило, и мои пальцы прилипли к нему. Я пропустил женщину сквозь это сито, и на ледяные нити примерзла какая-то темно-зеленая грязь, я стряхнул ее куда-то в сторону, и еще раз протащил через него пациентку, грязи было уже намного меньше, я сделал это еще два или три раза, пока грязи не осталось совсем. Я устал, и степной ветер вспомнил с удовольствием, я отправил эту женщину погулять в ковылях.

— Ну все. Как вы себя чувствуете?

Лицо женщины едва уловимо порозовело.

— Вы знаете, Александр, как будто ветром меня обдало.

— Все будет хорошо, вы не волнуйтесь.

Я попрощался и вышел из палаты. Алена ждала меня в коридоре.

— Ну, что скажете?

— Я думаю, будет лучше, а пока вот такая инструкция. Ни вы, Алена, ни ваш папа не должны быть в ее палате, пока ее не выпишут. Нужно найти сиделку вот с такой датой рождения. Только этот месяц и год в паспорте.

— Хорошо, — сказала Алена, — я найду.

По-моему, она нисколько не удивилась.

Мы ехали обратно, и я подумал, что вот сейчас возле меня сидит симпатичная барышня, и она мне нравится. Нравится не ее внешность, хотя она очень эффектна, нравится ее энергия. Разница у нас пятнадцать лет, и мне пора уже думать о вечном, решил я, но, прощаясь, я все-таки поменял цвет своих глаз. Я видел ее изумление, и мне это было чертовски приятно. Мне сорок восемь. Вероятно, это много, мне было неудобно перед самим собой за слабость, и я сопротивлялся.

Я опять борюсь сам с собой и со своим сомнением. Вернее, не с сомнением, а с той понятной для меня нормой жизни, когда с детства у тебя на глазах все живут вместе, долго и счастливо. Я был настроен на повторение традиций, и при этом для меня это не было тяжким бременем. Я даже не понимал, что это традиция. Это образ восприятия мира. Я любил Наталью, и меня все устраивало, так же как, я надеюсь, все устраивало и ее, и мы собирались быть вместе до конца дней. Я был совершенно не готов к чему-то другому, а после всего случившегося я даже не задумывался по поводу принятия какого-то решения.

Нет, я не говорил себе «все, я буду теперь навек один» — у меня даже мыслей таких не было, но у меня не было и других мыслей, мыслей о том, что мне надо найти другую женщину. Сосредоточившись на сдаче экзамена, на получении допуска к старту, я не думал о личной жизни. Не думал до того момента, пока не появилась Алена. Мне нравилось внимание женщин, но это было их внимание, а не мое. Внутренняя установка на долгую и счастливую жизнь с Натальей не изменилась, и я не собирался ничего менять. До той субботы, до двадцать первого марта так и было. Что же случилось?

Мне не девятнадцать, и я должен понимать причины своего ненормального поведения. Я давно уже не реагирую на внешность людей. Страшные мне кажутся красивыми, большие — маленькими и наоборот. У меня есть дата рождения этой девушки. Есть совпадение по энергии дня рождения. Здесь идентичность полная. Почувствовал свою, это понятно, но этого недостаточно, это всего лишь симпатия, а мне хочется ей позвонить — и это уже перебор.

Двадцать первое марта — что за день? Новый год. Навруз. День весеннего равноденствия — переход Солнца из южного полушария в северное. Вот она, подсветка. Солнце максимально усилило ее энергию. Но Солнце и на меня влияет, и даже больше, чем на нее. Вероятность того, что она ждет моего звонка, весьма высока. Мне не впервой принимать решения, кардинально меняющие мою жизнь, но в тот день я не думал, что она будет изменена настолько. Я позвонил Алене.

— Алена, сегодня хороший день для того, чтобы прогуляться на Красную площадь, но еще лучше будет сходить в кино.

Мороз по спине пошел моментально, как только я поднял глаза на афишу. Еще не прочитав это слово, я уже пытался согреться. «Сомнение». Мой вечный враг скалился неоновыми буквами бегущей строки: * Сомнение * Сомнение * Сомнение… Неожиданно и очень знаково. Я думал очень быстро. Если враг проявился, значит, что-то произойдет или не произойдет, но мне надо принимать решение здесь и сейчас. Дать отбой и уйти. Или остаться. Она мне очень интересна, очень. Я не мучился мыслью о том, что если я сейчас уйду, то поступлю не по-джентльменски. Это можно пережить, посчитать себя некоторое время идиотом, но не привязывать к себе девушку, которая даже не понимает всей важности вопроса для нее.

Мы сидели прямо в центре зала. Я смотрел на экран и постепенно приходил в себя. Я закрыл глаза, пытаясь сосредоточиться на своих «да — нет». Это же так просто…

Я проснулся минут за пять до окончания фильма. «Интересно, я храпел во сне? Дай Бог, чтобы она не заметила, вон как внимательно на экран смотрит». Я внутренне смеялся над собой. «Красавчик! Пригласил девушку в кино, а сам уснул, да еще, наверное, храпел. Тебе сорок восемь, иди и читай газету у телевизора. Какую газету, у меня только все начинается».

Внутренний мой монолог был прекращен ощущением невероятного комфорта. Давно я так хорошо не спал, давно. Я уже и забыл, что можно вот так сладко спать. Буду надеяться, что она этого не заметила. А может, она сама спала? Нет, лицо сосредоточенное, следит за сюжетом. А это что? Я только сейчас заметил, что мы сидим рука об руку. Это она или я? Буду думать, что я. Хотя, я ведь спал.

29.

Позвонила Светлана Петровна, пригласила в гости. «Саша, у меня сегодня будет актер Сергей Безруков, давно хотела вас познакомить». Интересно, каким он мне покажется в реальной жизни. Я видел его только на экране телевизора, и при этом он был то бандитом, то милиционером — да кем угодно, но не самим собой. Очередной эксперимент намечается. Я зашел в кулинарию, купил торт с клубникой и отправился к Есениной.

Сергей оказался крепким парнем — рукопожатие его было энергичным и твердым. Так здоровается основная масса мужчин на Севере и на Урале — жестко и коротко. Я же, напротив, здоровался с ним крайне осторожно, так как буквально три дня назад был на программе в «Останкино» с одним очень известным актером и, здороваясь с ним, по своей привычке даванул ему руку. Времени на аналитику его энергии у меня не было, а образ у актера был очень героический, он все время то скакал на лошадях, то дрался на шпагах и вообще производил впечатление крутого парня, и я, под этим впечатлением, стиснул его руку так, как обычно здороваюсь со своими уральскими друзьями.

Оказалось, что крутой парень — это всего лишь образ в кино, и известный артист вдруг подсел от боли на одно колено. Это было так неожиданно. Я уже осознал, что ошибся, но, пребывая в замешательстве, разжал кисть несколько позже. Как же мне было неудобно и перед ним, и особенно перед двумя девушками, работницами телевидения. Видя мучения своего кумира, они смотрели на меня, как на человека, сделавшего это специально, дабы дать всем понять, кто есть кто. А у меня и мысли такой не было.

Поэтому, почувствовав сильную тренированную руку, я подумал: это игра или он сейчас настоящий? Не поймешь ведь этих талантливых людей. Но сейчас он был Сергеем Безруковым, без внешнего и внутреннего грима.

Светлана Петровна обладала уникальной способностью создавать комфортную атмосферу, и наш разговор за чаем был таким настоящим и дружеским, что мне казалось, я знаю Сергея много лет. Его открытость позволила понять его в течение нескольких минут. Мы говорили о Есенине, и характеристика, данная мной поэту, была принята с пониманием. Я смотрел на Сергея и понимал суть его таланта. Это способность понять своего героя и воссоздать его в эмоциях, а не сделать простую копию под диктовку режиссера. Но как же это невероятно сложно, прочувствовать энергетику давно ушедшего человека. Если герой — плод фантазии писателя, то это сделать проще, основываясь на самом произведении, но если это реальная личность, да еще с такой трагической судьбой, потребуется интуиция, позволяющая убрать логику, созданную исследователями личности, различными критиками или просто цитатами из Википедии. Потому что вся эта логика, как правило, является домыслом, а правда основывается на интуиции, и у Сергея она была.

У Сергея была масса вопросов ко мне: воплощая в работе реальных людей, он замечал, что с ним происходили некие метаморфозы — он делался похожим на своих героев, и порой от этой похожести становилось невмоготу. Возвращаясь в реальный мир, он выносил со сцены энергетику прошлых лет в современное время, и многим это казалось странным. Это энергетический шлейф, он обладает большой инерцией, и ты вытаскиваешь эмоции прошлого сюда, в эту жизнь, но они здесь уже чужеродны. И слова, и жесты, они все присущи одному периоду, и поэтому у многих может сложиться мнение, что ты не от мира сего, но это так и есть, потому что ты после глубокой эмоциональной работы в мире, который был сто лет назад.

Я был очень доволен знакомством с Сергеем, и я был счастлив, что не испытываю досады и разочарования, какое возникло от актера, не выдержавшего моего рукопожатия. Мы договорились о следующей встрече и обменялись телефонами. Я уходил с ясным ощущением необходимости этой встречи. Ну, казалось бы, встреча и встреча, однако для меня эта встреча была тем необходимым звеном в цепочке, которая привела меня к событиям, произошедшим спустя четыре года.

Начиная с участия в телевизионном проекте, судьба медленно, но верно вела меня по пути к знаниям, скрытым за семью печатями, скрытым от людей, скрытыми людьми в далеком прошлом. Я еще не знал, куда я приду. Я просто знал, что иду в нужном направлении, и был уверен, что Сергей Безруков будет одним из многих, кто мне поможет прийти в нужное время в нужное место. В общем, так и вышло. Знакомство с Сергеем привело меня к еще одному крайне важному для меня экзамену.

30.

Работы было много, и в какой-то момент я понял, что являюсь неким антикризисным специалистом. Я востребован, когда все плохо и хуже уже некуда. Это касалось многих сфер в жизни — и работы, и личных отношений, и здоровья. Все чаще и чаще приходившие люди, страшно смущаясь в своем решении обратиться ко мне, начинали разговор со слов о том, что они в принципе ни во что такое не верят, но, вероятно, наступил такой момент в их жизни и все стало так плохо, что логика оказывалась неспособна понимать причину провалов. При этом они оглядывали мой кабинет в поисках магических инструментов и практически все находились в состоянии готовности к побегу.

«Вы скептик?» Этот вопрос я задавал в первую очередь. Многих он заставал врасплох, и только некоторые отвечали утвердительно: да, я скептик, и мне нужно сначала убедиться в ваших способностях. Таких людей я уважаю. Они не пытаются лукавить, и им действительно нужно чудо. Но чудеса делаются медленно. Однажды одна дама сказала, что прочитала где-то отзыв о моей работе, в котором сказано, что Литвин хорошо видит прошлое, но ничего не говорит о будущем, а вместо этого дает какие-то рекомендации, в результате выполнения которых наступит благоприятный период. Я сидел и думал, что, вероятно, это лучший для меня комплимент.

Все события, абсолютно все, большие и малые, проистекают исключительно из событий прошлых лет. Я объяснял причину неудач скептикам, вытаскивая из их прошлого, из прошлого их рода факты, известные только им. И по мере погружения в прошлое скепсис таял, а на его место приходило понимание взаимосвязи событий. Я объяснял им, что, зная прошлое, можно скорректировать будущее, но коррекция эта заключается не в ожидании будущего, а в его создании путем совершения определенных действий. И действия эти на первый взгляд совершенно обычные: поменять цвет в одежде, поменять рацион, изменить интерьер в квартире, переместиться в пространстве, сменить работу. То есть ничего волшебного, все в рамках обычной жизни, но в определенный период времени. Кому-то говорил: нужно просто немного подождать, наступит ваше время, и все сложится само собой. Кого-то, кто настойчиво требовал ответить на вопрос «что будет?», за информацией о будущем отправлял прямиком на Казанский вокзал. Так и говорил: вам не ко мне, вам на Казанский вокзал, где кто-нибудь из гадалок вам точно все расскажет, и что было, и что будет.

Чудеса делаются медленно, потому что сначала нужно создать предпосылки для них. Фокусник, показывая трюк, предварительно будет готовить оборудование. Чтобы согнуть ложку взглядом, нужно тренировать руки, и ложка нужна из особого металла, только тогда получится фокус. С настоящими чудесами то же самое — сначала нужно провести работу. У меня нет оборудования, но у меня есть интуиция — мой главный инструмент. Рассуждая о чудесах, я все время думал о том, что с точки зрения китайской грамоты никаких чудес просто нет, есть взаимодействие энергий, которое, по сути, и оказывает влияние на наши судьбы. Но тогда почему я четко вижу различия в интуиции, и они никак не укладываются в китайские графики? Или я еще не достаточно глубоко их изучил? Удивительно, но по моей дате рождения ни один из китайских специалистов не скажет, что мой уровень интуиции высокий. Моя дата рождения определяет его как средний. Скорее всего, дело в вере, а от нее уже и результат.

Несмотря на мое стремление к системности, иногда я делал чудеса довольно быстро. В моей работе всегда больше печального, и к этому невозможно привыкнуть, отгородиться от проблемы, очень часто для решения вопроса мне нужна эмоция, а это значит, что я сам должен все пережить. Но иногда мироздание меня щадит. Вот и в этот раз мне не понадобилось вскрывать копилку своих эмоций.

Женщина пришла к десяти утра. Она положила на стол паспорт человека, своего отца. Ушел из дома и не вернулся. Вот если судьбе угодно, то возможно практически все. Я глянул на фотографию и закрыл глаза. В то же мгновение я увидел железную дорогу, которая была по правую руку от меня, а слева была опора линии электропередачи, а впереди, метрах в ста, блестел ручей, под прямым углом подходящий к дороге. Мужчина лежал в стороне, в кустах, и он был мертв. Да уж, ситуация. Надо сказать, но как.

— Скажите, а далеко ли железная дорога от дома вашего папы?

— Да, на маршрутке минут двадцать.

— А на карте сможете показать дом?

— Да, смогу, вероятно.

Я открыл карту, нашел дом. Железная дорога оказалась всего лишь в пятистах метрах, а вот до станции действительно было далековато. На карте я нашел ручей и линию электропередачи.

— Вам нужно обследовать вот этот участок. От опоры ЛЭП и до ручья.

— Он жив?

Ее состояние было таким, что я не решился ей объявить.

— Вы когда пойдете туда, возьмите кого-то с собой из мужчин, одна не ходите?

Она позвонила мне через месяц. После визита ко мне, на следующее утро она с племянником и соседом пошли в указанное место. Старик был там. Это был сороковой день поиска. Она не смогла раньше позвонить: похороны, состояние здоровья и прочие моменты. «Вы знаете, я ведь понимала, что его нет, поверить в это не хотела, не могла. Да и сон видела плохой...» Я поблагодарил ее за звонок и выразил свое соболезнование. Но разве есть в этом мире слова, способные утешить.

Я не понимал, почему в каких-то случаях ситуация читается, как открытая книга. Координаты даются с точностью до десятка метров. Кто я? И зачем мне это дано? Возможно, именно для таких вот случаев.

Возможно, но должна же быть более глобальная цель. Я же могу увидеть нечто большее, касающееся всего человечества. Хотя большое состоит из малого, и, видимо, я еще недостаточно готов, чтобы с этим малым начинать большое. В последний раз картинка была четкой. Ничего не надо делать. Закрыл глаза, и хлоп — смотри: все приметы есть, и карта под рукой. А в другой раз крутишь, крутишь, голова уже гудит, и кое-как, с огромными усилиями выходишь на информацию. От меня это зависит или от того, кто обращается ко мне? Женщина не знала места и, значит, никак не смогла мне «помочь», я работал только с пропавшим, и вопрос был по нему, по его телу. Вероятно, я когда-нибудь увижу его — того, кто дает мне информацию. В последнем случае я не пользовался эмоциональной памятью, но чаще именно она наталкивает меня на правильные ответы.

В начале моей работы подавляющим большинством посетителей были женщины. Женщины — мои адепты и мои учителя. Женщины, как более слабые физически, наделены интуицией в большей степени, чем мужчины. Так уж получилось, что мужчины, переложив ответственность на силу мышц, в процессе эволюции теряли интуицию, и с каждым скачком технического прогресса интуиция снижалась.

Но примерно через год моей работы я заметил, что количество мужчин-посетителей стало приближаться к количеству женщин. Это был хороший знак. Он не означал, что вдруг у мужчин интуитивный уровень возрос, он означал, что я просто все делаю правильно. Если мне удалось разрушить мужской скепсис, то все правильно!

Еще одна особенность меня откровенно порадовала: люди, приходящие ко мне, в основной своей массе имеют высшее образование, и, как бы это ни казалось странным, мне легче было объяснить те или иные причины образованным людям. Тем же, кто необразован и в чьих головах шелуха в виде порчи и сглаза, объяснить физику мистики крайне сложно. А она есть, реальная физическая мистика, но мистикой она будет только до тех пор, пока тайна ее не будет разгадана на основе обычной физики.

31.

Начало июня. Мы с Аленой собрались в Питер — накануне я встречался с Сергеем Безруковым, и он посоветовал мне посетить одно крайне интересное место. Он рассказал, что играл Пушкина и съемки были именно в том самом доме, где жил Пушкин. «Там есть уникальный диван — Саша, тебе надо обязательно взглянуть на него! Лежа на этом диване, мне не нужно было играть, я был самим Пушкиным: мне было так плохо, что не надо было изображать агонию — мне действительно было очень, очень плохо. Пушкин умер на этом диване, посмотри, вдруг что интересное для себя найдешь?»

Сергей дал мне контакты директора музея, и по приезде в Питер я набрал указанный номер телефона. Трубку взяла женщина с сильным красивым голосом, ее звали Галина Михайловна. Получив привет от Безрукова, она с удовольствием согласилась показать нам свои сокровища.

Мне было все интересно, я рассматривал экспонаты и думал: вот это — трость, опираясь на нее, великий Пушкин ходил по Санкт-Петербургу, раскланиваясь со знакомыми и перекидываясь словами о погоде. Вот изящные вещички Натальи Николаевны: красивые платки, колечки, вот ее печать. А здесь — портмоне, из которого Пушкин доставал ассигнации, расплачиваясь за какие-то покупки. А вот дуэльные пистолеты, те самые, на которых была дуэль Пушкина с Дантесом. «Минуточку, а пистолеты-то — не настоящие! Вернее, они настоящие, но не те». Я повернулся к директору музея.

— Извините, но мне кажется, что это оружие Пушкин в руки не брал.

Галина Михайловна подтвердила мою догадку.

— Да, действительно, именно это оружие в дуэли не участвовало. Оно принадлежит эпохе Пушкина, оно очень похоже, и изготовил его тот же французский мастер Лепаж, но, увы, настоящего в нашей экспозиции нет. Кстати, по поводу настоящего оружия у меня есть интересная история. Мы отследили весь путь дуэльных пистолетов, и обнаружились они в Польше, у дочери майора Войска Польского Казимижа Земецкого. Я написала письмо в адрес этой женщины с просьбой рассмотреть вопрос о передаче пистолетов в музей — в дар или на какой-то финансовой основе. В письме было написано о том, какую культурную и историческую ценность они имеют для России и что экспонирование этого оружия в доме-музее Пушкина было бы логичным и весьма уместным явлением. Ответ пришел довольно быстро, он был короткий, лаконичный и дипломатией совсем не отличался: «С Россией дел не имела и иметь не намерена». Я была несколько в недоумении, но причина была понятна — ее отец, майор Земецкий, был расстрелян в 1940 году в Катыни, и, возможно, такая ее реакция вполне имеет право на существование.

Слушая рассказ Галины Михайловны, я подумал, что память — это, конечно, хорошо, но умение прощать — лучше, хотя бы потому, что оно свойственно только сильным людям, людям открытым и не мстительным.

— А дальше случилась совершенная мистика. Пани Земецкая была в составе правительственной делегации, летевшей в Смоленск отдать дань памяти погибшим польским офицерам на том самом злополучном самолете, который разбился.

— Да, я помню эту историю, я ее рассматривал, потому что версий было много, но я думаю, это были неправильные действия экипажа в сложных погодных условиях.

Вот так история. Зарекаться, как говорится, нельзя. Грустно все это.

Одна мысль никак не давала мне покоя. Я действительно почувствовал, что пистолеты не имеют отношения к Пушкину. Надо вспомнить, как было дело. Я ведь не пытался специально проводить какой-то эксперимент, я просто подошел к витрине. Пистолеты. Старинные, красивые. Я всегда обращаю внимание на оружие, это значительная часть моей жизни, я неплохо в нем разбираюсь и, надеюсь, понимаю его красоту. Но что меня смутило? Во время осмотра я подумал: вот пистолеты, один из которых был нацелен на поэта и… А вот дальше «и» ничего не последовало — картинка не шла. Обычно у меня, если я о чем-то думаю, в голове возникает картинка с событием, некая визуализация мысли, а здесь ее не было, не было картинки, эти пистолеты я видел, а вот Пушкина — нет! Из этих пистолетов вообще никого не убивали. Надо запомнить связь между предметом и событиями, которые рисуются в моей голове.

Следующим экспонатом был тот самый диван, о котором говорил Сергей. Старинный, кожаный, кожа была изрядно потерта. Я рассматривал, его и вдруг в какой-то момент я решил проверить, как именно на нем лежал Пушкин — я до сих пор не могу себе объяснить это мое спонтанное желание.

Я медленно вел рукой над диваном и в каком-то месте ощутил заметное давление на руку, это не было мимолетным изменением в ощущениях, это было явное увеличение плотности структуры воздуха. Вот это опыт! Я провел рукой еще раз. И еще. Представьте, что вы проводите рукой по скатерти: ровно, ровно, но вдруг вы понимаете, что под ней что-то лежит, и это не бумага, это теннисный шарик — вот такое примерно ощущение.

Я попросил Алену закрыть глаза и провести рукой над диваном. Алена очень удивилась, ей еще ни разу в жизни ничего подобного не приходилось делать.

Когда я говорил ей, что я чувствую изменение в ощущениях, — это одно, а вот когда она сама узнала, как это бывает, — это совершенно другое. Она сказала: «Вот это да, я услышала! Это так явно ощущается, просто невероятно!»

— Всплеск энергии происходит в районе сердца, и по всему получается, что поэт лежал головой вот в эту сторону, а ногами вот сюда, к окну.

— Нет, нет! — Галина Михайловна возразила на мое утверждение. — Все совершенно наоборот! Есть свидетельство Жуковского. Жуковский нарисовал план, в котором подробно указал на расположение всего, что было в комнате, и есть картина, нарисованная с натуры в этой самой квартире.

Мы прошли в соседнюю комнату, на стене которой висела картина. Действительно, комната та же. Вот стоит гроб с телом Пушкина — в головах окно, и вся обстановка в комнате соответствует реальности.

— А теперь смотрите сюда. — Передо мной был план квартиры, составленный Жуковским. — Жуковский написал подробное письмо отцу Пушкина о том, как все происходило, и приложил план.

План был составлен идеально. В его правом углу была легенда с буквенным обозначением нанесенных на бумагу объектов. «А» — диван, «Б» — стол, «В»… и далее по списку.

— Все замечательно, но план не указывает, как именно лежал на диване поэт.

Галина Михайловна указала в плане на гроб в соседней комнате. Он также имел буквенное обозначение.

— Вот видите, на гробе нанесен крестик. Он нанесен именно в головах, что полностью соответствует картине. И точно такой же крестик нарисован на диване — тоже в головах!

Да, логика в этом была. А план такого авторитета, как Жуковский, не оставлял мне надежд, но интуиция моя противилась. Я знал, я чувствовал, как все было на самом деле, и я не мог просто так взять и согласиться.

— Мне нужна лупа.

Я стал внимательно рассматривать легенду. По пунктам. Буквы были прописные: А, Б, В… На плане я нашел все буквы, кроме буквы «А». В легенде под буквой «А» значился диван. Но на плане нет буквы «А». Я посмотрел на крестик, нанесенный на контур дивана и… это был не крестик! Это была прописная буква «А», сделанная стремительным росчерком, в результате которого она стала походить на маленький крестик! Крестик же, нанесенный на контур гроба, был самым настоящим, и рядом с контуром было еще и буквенное обозначение, что полностью соответствовало плану Жуковского! Галина Михайловна была удивлена, но возражать не стала, она и сама только что убедилась в том, что привязка к крестику была неправильной.

— Меня всегда смущал один момент, — Галина Михайловна была очень серьезной, — в воспоминаниях Натальи Николаевны описано, как она сквозь полки наблюдала страдания поэта, но боялась к нему подойти. Исходя из плана Жуковского, она не могла его видеть. А вот сейчас все стало на свои места: если он лежал именно так, то, действительно, она могла видеть его сквозь книжные полки!

Как интересно все складывается: знакомство с племянницей Есенина приводит меня к знакомству с Безруковым, которое, в свою очередь, приводит меня в дом-музей Пушкина, где я получаю уникальный опыт работы с информацией, который дает возможность заметить ошибку в интерпретации легенды карты-схемы.

Получив этот опыт, я зафиксировал в памяти свои ощущения от предметов старины, распределил их по сигналам подлинности или отсутствия таковой и снова и снова вспоминал тот мощный всплеск физически ощущаемой энергии над тем местом, где умер поэт. Я понимаю, что смерть — неизбежный рубеж, который придется пройти всем, иначе и быть не должно. Я не знал, пригодится ли мне этот опыт и надо ли заполнять банк эмоций всем подряд, но Пушкин — это не все подряд, он гений, он востребован во все времена. Возможно, эмоции, связанные с ним, когда-нибудь помогут мне, может быть, когда-нибудь я напишу книгу, и они мне понадобятся. В тот момент я даже не представлял себе, как воспоминание о работе в музее приведет меня к этой книге и что череда событий, начавшихся в июле 2008 года, выстроится в четкую линию, уходящую в небеса.

32.

Память городов крепче человеческой, улицы помнят своих пешеходов спустя много-много лет, запомнят и меня, тем более что для меня Санкт-Петербург — уникальный город. Плотность исторических событий и личностей вселенского масштаба просто невероятна. Я ходил по этому городу и поражался его красоте, я знал, что не везде он красив, что есть в нем, как и во всех российских, да и заморских городах, фасадная часть и то, что обычно не показывают. Это меня не смущало. Баланс города был смещен в сторону красоты, искусства и власти.

Я много раз бывал в этом замечательном городе, и так уж получилось, что мое впечатление о нем исключительно теплое. Ни разу в жизни при моем посещении Питера не было плохой погоды. Всегда солнце и синее небо. Когда мне говорят о серости и слякоти Питера, я не могу себе этого представить.

Когда я нахожусь в этом городе, у меня всегда есть ощущение его знакомости. Я здесь уже бывал, я знаю его. Первый раз, увидев Петропавловскую крепость, я сразу вспомнил Уйский Свято-Троицкий собор в своем родном Троицке. Это не просто память детства, это ощущение родного города, которое имеет существенные материальные основания. В архитектуре моего города непосредственное участие принимал Пьетро Антонио Трезини, в свое время главный архитектор Санкт-Петербурга. Уйский собор тоже его детище. Сияние креста на нем — эта картина моего детства. Советская власть так и не смогла его снять, и он продолжает сиять над моим родным городом, так порой похожим на город на Неве.

Спустя примерно месяц после поездки в Санкт-Петербург ко мне на консультацию пришла женщина средних лет. То, что это необычная посетительница, я понял по ее состоянию: она просто вибрировала от волнения. Если гипотетически представить уровень волнения от ноля до ста, ее показатель был равен максимуму. Мне даже стало как-то не по себе от ее состояния. Я не торопил ее: я предложил ей стакан воды и ждал, пока она успокоится. Было ясно, что пока она не начнет говорить, о спокойствии и речи быть не может. То, что она держала в себе, готово было в любую минуту взорваться.

«Это касается лично меня». Мысль сильная, мощная, на сверхзвуке, как удар хлыстом и холодок между лопаток. Нет, это не просто поклонница моего таланта, здесь что-то совсем другое. И необычное. А приходят ли ко мне с обычными вопросами? Нет.

— Мы знакомы? — я задал этот вопрос, потому что у меня было ощущение, что мы знакомы.

— Нет. Лично никогда не встречались, я видела вас по телевизору.

Женщина рассматривала меня очень внимательно, я просто чувствовал этот взгляд, сравнивающий меня с каким-то эталоном. Она была явно в режиме «да — нет, свой — чужой». До меня вдруг дошло, что она ничего не скажет, пока не удостоверится в том, что я — это я. И еще что-то. Сравнение с телевизионной картинкой? Нет. Здесь что-то не то. Я ее не знаю, а вот она, похоже, изучала меня по всем параметрам. Интересно зачем? По энергетике она очень серьезный человек, обладающий властью, добилась всего сама, верит только реальной картине.

На мысли о реальной картине у меня пошел сбой. Картина не реальная. Ладно, гадать не буду. Она закончила сравнение, вздохнула и начала свой рассказ.

— Александр, я живу в Санкт-Петербурге, я хороший специалист в области управления финансами и экономики и являюсь крупным региональным руководителем. Мое психическое здоровье в абсолютной норме. Я всегда смотрела на жизнь трезво, все свои интуитивные озарения сводила исключительно к случайностям и всегда находила логическое объяснение. Но два года назад меня угораздило попасть в серьезную автомобильную катастрофу, после которой я пролежала в коме три недели. Я не помню эти три недели, я помню только последние мгновения комы. Кто-то показал мне человека и голос — он звучал, как голос за кадром, — сообщил, что я должна найти этого человека и помочь ему. После этих слов я вышла из комы. Врачи, которые потеряли надежду, были несказанно рады, все мои родственники, дети — все были счастливы, и я быстро пошла на поправку. Я ничего не помнила, кроме лица мужчины и голоса, поставившего мне задачу. Мысль о том, что я вышла из комы для реализации этой задачи, меня не покидала. Спустя три месяца я встретила человека, которого мне показали. Он был в той же одежде — это был он, у меня не было никаких сомнений, это был он, человек из комы. Я устроила его на работу, я купила ему квартиру на Невском, я его всячески поддерживала. Вот этот человек.

Женщина достала из сумочки фотографию и положила на стол. Мужчина, смотревший с фотографии, был моей копией, один в один. Полная идентичность за исключением одного — он был старше меня на десять лет. Я смотрел то на портрет, то на женщину. Первая мысль была о том, что надо бы перекурить это дело.

Я сконцентрировался на портрете. Он мне нравится, хотя бы потому, что очень похож на меня. Отражение света дает определенное сочетание, и именно оно определяет и внешние формы, и внутренний мир. Женщина улыбнулась:

— Вы даже не представляете, как вы похожи, но когда я увидела вас по телевизору, и сейчас, когда я смотрю на вас, я понимаю, мне показали вас! А этот человек просто очень похож. — Она вдруг стала очень деловой. — Александр, чем я могу вам помочь? Почему мне показали вас?

На этот вопрос я не могу ответить до сих пор. Возможно, еще придет такое время, когда мне понадобится ее помощь. У меня нет объяснений. Мы обменялись координатами и договорились, что если мне когда-нибудь понадобится ее помощь, я ей позвоню. Женщина ушла, а я сидел и думал о произошедшем событии. Мои размышления прервал звонок от племянницы Юли.

— Не отвлекаю? У меня один вопросик, вы были сегодня в районе МГУ?

— Нет, не был, я работаю. Целый день в кабинете, а что?

— Ничего, просто позвонил мой молодой человек и сказал, что видел вас возле Главного корпуса.

Я знал ее молодого человека, она не так давно представила его как потенциального жениха.

— Юля, я не был там, ему, вероятно, показалось.

— Алексей утверждает, что это были вы, вы ему кивнули и пошли дальше.

Странные дела. То эта женщина из Санкт-Петербурга, то мое появление на Воробьевых горах.

— Юля, скорее всего, Леша ошибся, а поскольку он внимательно рассматривал этого мужчину как знакомого, тот из вежливости кивнул.

— Ну, значит, он спалился! — Юлька смеялась. — Дело в том, что он шел в этот момент с девушкой и, увидев вас, позвонил мне и стал оправдываться, что девушка просто знакомая из группы.

Я тоже посмеялся над ситуацией, но мысль о том, что я не просто ему привиделся, была зафиксирована.

Я закончил работу и, как всегда, анализировал события дня. В Питере живет человек, похожий на меня. В Москве, в районе МГУ, гуляет такой же. Что это за день двойников? К чему эта информация о моей вездесущности? События на этом не прекратились. Следующий звонок был из Самары. Звонила знакомая, которая там живет.

— Александр Богданович, добрый вечер, это Лена из Самары. У меня тут случай интересный. Я работаю в мебельном салоне. Сидела оформляла документы, вдруг чувствую, на меня кто-то смотрит внимательно, глаза поднимаю, а это — вы! Посмотрели и вышли из салона. Это вы были? Вы сейчас в Самаре?

— Лена, ты не поверишь, я в Москве. А что же ты не окликнула-то меня, ну в смысле этого мужчину?

— Да я оторопела, вы ж знаете, что я ваша фанатка.

Да, действительно, Лена очень хорошо ко мне относилась, она в свое время организовала в социальной сети группу в мою поддержку и всячески поддерживала меня на различных форумах, посвященных «Битве», где билась за меня не на жизнь, а на смерть с оппонентами и даже приехала в Москву на финал проекта. И мы еще несколько раз встречались, она подружилась с моей сестрой, которая живет в Самаре, то есть знала меня прекрасно в реальной жизни.

Минутой ранее я думал о двойниках, которых в течение дня стало трое. Питер, Москва, Самара. Вездесущий, появляющийся в разных местах одновременно. Интересно, я могу так сделать? Если я отвечаю людям на письма, то я так и делаю — в этот момент я рядом с ними. Не они со мной, а я рядом с ними. То есть это просто подтверждение того, что сил мне хватит и сил этих у меня на троих. Значит, будем работать. Втроем!

А номер телефона той женщины из Питера я потерял, но я уверен, что это не последняя наша встреча.

33.

Время летит стремительно, оно имеет удивительное свойство растягиваться или сжиматься в зависимости от того, чем ты занимаешься. Когда я служил на Дальнем Востоке, время шло крайне медленно, пятнадцать лет службы тянулись долго, день за днем, неделя за неделей, и я постоянно был в режиме ожидания и понимания того, что это не моя территория, не моя жизнь, но, поскольку я здесь, это нужно просто выдержать. Я часто вспоминал свой сон, который мне приснился перед принятием решения о службе на Чукотке: я застрял у глубоком сугробе и долго-долго из него выбирался, и сон этот был точкой принятия решения, и я это решение принял. Служба на таможне резко сократила мое восприятие времени, летели уже не дни, а времена года: осень, зима, лето, и дети выросли, и вот мне уже скоро пятьдесят, и, казалось бы, сейчас все должно стабилизироваться, но мне уже пятьдесят, а как пролетели последние два года — я просто не помню.

Люди. Меня всегда окружали люди. Но раньше у меня не было за них такой ответственности. В процессе своей работы я получал все больше подтверждений того, что интуиция большинства людей крайне низкая, она фактически разрушена, и лишь некоторые из них имеют уровень, позволяющий не делать ошибок. Самое печальное заключалось в том, что люди не хотели рассматривать знаки судьбы, они отказывались от них в глобальном масштабе и раз за разом наступали на одни и те же грабли. Те редкие люди, относившиеся к своим ощущениям серьезно, откровенно радовали меня, и я относился к ним, как к исключительно своим. Мне нравилось открывать им глаза на еще не замеченные ими закономерности и объяснять причины тех или иных событий.

Аналитика жизни моих посетителей давала мне возможность учиться, учиться каждый день, и то, что я открывал для себя, я не прятал за семью замками — то, что я мог рассказать, то, что имело статистику, я рассказывал, но научить кого-либо я так и не смог. Вернее, не смог объяснить, что такое память эмоций. Но надежды я не терял — все равно на этом свете есть те, кто знает и чувствует больше, чем я, может быть даже не подозревая об этом.

Статистика накапливалась. Некоторые посетители, сами того не зная, оказывали мне бесценную услугу: они приносили с собой подробную родословную, иногда даже до пятого колена, с именами и точными датами рождения — вот где было поле для работы! Рассматривая эти семьи, я сделал вывод, что в роду, в клане все фрактально, абсолютно все: и мы, живые, и другие, уже ушедшие, всегда имеем место в системе, свое место. Все эти жизненные перипетии имели системность, и я попытался хотя бы для себя разобраться в этой системности и ее свойстве воспроизводить одни и те же структуры на разных иерархических, исторических и временных уровнях.

Фрактальные системы — очень интересная для меня тема. Принцип одинаковости, тождественности распространяется на многие и многие вещи, практически на все сущее, но пока у меня не появились люди с их судьбами, с их родословной, я не мог этого увидеть, не было тех реперных точек, за которые можно было бы зацепиться.

Мне вдруг по-новому открылся смысл народной мудрости, осуждающей разрыв родственных связей, — «Иваны, родства не помнящие». Народ в своей массе обладает коллективным разумом, раз на свет рождаются такие пословицы. Помнить родство — значит понимать системность и ее насущную необходимость, понимать свое место и место всех остальных. Но для начала надо хотя бы знать, что они были, что у них есть имена, что у них были своя огромная жизнь и опыт, который они передали нам на генетическом уровне. Максимум, что помнит основная масса населения, — три поколения.

Есть история общества, я изучал ее в школе и изучаю до сих пор. Этот предмет, данный мне самим обществом, имел своей целью учитывать опыт и знания прошлого и не совершать ошибок на основе этого опыта и знаний. Но у меня, к сожалению, нет полной истории семьи, моей семьи — того, что я знаю, мне явно недостаточно. Эта история была бы самой правильной и честной, в гораздо меньшей степени подверженной политической конъюнктуре и влиянию извне. История моей семьи была бы лучшим учебником истории всех времен и народов. Я искренне преклоняюсь перед теми людьми, которые восстанавливают свою генеалогию и делают важную работу для своих потомков. И вот, получив в руки такой уникальный материал от простых людей, а не из Википедии, где домыслов больше, чем правды, я стал сравнивать системы на всех уровнях.

Атом, Солнечная система и сама Вселенная — есть точное копирование микро- и макромиров. Что первично? На мой взгляд — первичен микромир. Я полагаю, что теория большого взрыва несостоятельна: возможно, взрыв и был, но это уже вторичная реакция, а первичные процессы были осуществлены исключительно на микроуровне. Мир устроен по цепочке от простого к сложному. И это простое всегда оказывает влияние на сложное. На всю многокомпонентную систему.

Фрактальность прослеживается в том числе и в событиях, которые изменяют будущее, хотим мы этого или нет. И несмотря на склонность к интуитивному пониманию мира, мне нужна была его карта-схема, не географическая, а фрактальная. Карта зависимости большого от малого. Я утверждаю: все начинается с малого. В том числе и любая система.

Человек создает первичную систему — семью, семьи создают род, роды объединяются в племена, племена — в народы. Системность с центром в виде двух людей, мужчины и женщины, — очевидна. Люди в системе разные: кто-то нравится друг другу, кто-то открыт, а кто-то не допускает к себе всех подряд, ограничиваясь только очень узким кругом знакомств. Мы как притягиваем к себе людей, так и отталкиваем, и в основе этого притяжения или отторжения находится… гравитация.

Люди имеют информацию о множестве факторов, влияющих на среду их обитания, и их непременно надо учитывать, но я остановлюсь на самом главном факторе — гравитации, которая лежит в основе нашей жизни и существования Вселенной в целом. Изучая родословные, в которых были не только имена и даты, но и жизнеописание основных ключевых моментов участников системы, я перенес это на глобальный уровень, на уровень космоса.

Представьте, что каждый человек — космическое тело со своими свойствами и орбитами и со своим уровнем гравитации. Совокупность людей — это совокупность планет, звездных систем и галактик. Жизнь людей как представителей микромира — коротка, жизнь галактик — относительно нашей жизни — весьма продолжительна. Мы видим свет звезд, уже сгоревших. Их уже нет, но их свет мы получаем. Этот свет несет нам многое, мы можем по спектральному анализу получить характеристики сгоревшей звезды, мы можем попасть под ее радиоактивное излучение или под какой-то другой вид воздействия, мы фиксируем этот свет.

Если мы находимся рядом со сгоревшей звездой, мы не увидим ее света — он улетел. Это явление давно изучено, понятно и даже очевидно для всех, более или менее знакомых с физикой, но вот применительно к человеку, особенно если не воспринимать его как космический объект, это понять сложно. Мы не видим свет от человека, ушедшего в мир иной, если он рядом с нами. Но если изменить точку наблюдения — мы его увидим! И поймем, что свет из прошлого влияет на настоящее и будущее, и потенциал его влияния распространяется в будущее довольно далеко, библейские классики говорят, что до седьмого колена. Все зависит от места и способа наблюдения.

Вот в этом моменте моих размышлений я услышал знак: я замерз, мне стало очень холодно. Я еще раз повторил свои мысли. Где? Где то слово, от которого меня стало знобить? «Если мы изменим точку наблюдения, то увидим свет». При слове «свет» меня тряхнуло. При слове «свет»... Ассоциация возникла моментально. Бог есть свет — это была мысль, а визуально я увидел Иисуса.

Наша жизнь — совместное движение, и движение относительно друг друга. Земля вращается вокруг Солнца, Луна вращается вокруг Земли и Солнца, Солнце вращается вокруг центра Галактики, и все это совокупное вращение несется куда-то к какой-то неведомой цели. Хотя порой мне кажется, что целью является именно само движение-вращение. И на микро-, и на макроуровне происходят изменения. На микроуровне они стремительны. На макроуровне, если рассматривать динамику с точки зрения продолжительности человеческой жизни, изменения практически не происходят.

Человек вращается вокруг человека. Центром человеческой системы вращения и движения является тоже человек, но с особыми характеристиками. Это личность, притягивающая к себе всех участников своей подсистемы — семью, род, клан, и удерживающая их всех на своих орбитах. Кому-то от этой личности достается больше внимания и тепла, кому-то меньше, кто-то, вплотную приблизившись, испытывает колоссальные температурные перегрузки, кто-то замерзает на дальних орбитах.

Сначала это микросистемы, слияние которых в более крупные образования постепенно увеличивает и расширяет сферу влияния лидера и задает ему стремление к созданию устойчивой макросистемы в связи с набором гравитационной массы. Есть семьи-структуры со слабым лидером, способным удержать систему лишь на короткий период времени. В центре таких систем обычно находится личность, не обладающая сильным и длительным импульсом гравитации. Они пытаются создать свою систему, и в какой-то момент им удается это сделать, но развить центростремительный потенциал у окружающих они не могут. Применительно к человеческой семье — это банальный развод. Такие системы устойчивы условно, на какое-то мгновение. Причина здесь только одна, и она лежит в другом временном отрезке, в том отрезке, который мы называем «прошлое». Именно прошлые события и эмоции задают характеристики будущим поколениям.

То есть повторяемость процессов и приводит к тому, что человек-предок, утративший партнерство, транслирует его утрату и в нашу жизнь. Получается, что все события в нашей жизни запрограммированы поступками наших предков. Их свет, дошедший через время, определяет мой личный гравитационный потенциал, я же, в свою очередь, определяю череду событий в будущем — это, пожалуй, самое важное понятие и самый важный вывод!

Ответственность перед будущим формируется в прошлом, усиливается в настоящем и реализуется в будущем. Да, головой надо крутить и в прошлое, и в будущее. Казалось бы, ну зачем мне будущее? Живу здесь и сейчас, люблю своих детей, и внуков буду любить. Но могу ли я сказать, что буду любить правнуков, если не увижу их на этом свете? Я-то точно знаю, что буду любить всех и страдать, если они будут делать ошибки. Поэтому буду отсюда, из сегодняшнего дня, влиять на их судьбу, это для меня несомненно.

Я опять вспомнил свой озноб. Христос, будучи в прошлом, влияет своим учением на нас всех здесь и сейчас. Интересно, а были ли у него прямые потомки? И опять холод по спине! Я затаил дыхание. Так есть или нет? По всем источникам — их нет. А что же меня тогда так колотит?

Ладно, со мной как с отдельным человеком вроде все понятно, но как этот принцип тождества реализуется на уровне государства? Оно ведь тоже подпадает под системность. Рассматривая систему «государство», где центральной точкой, эдаким Солнцем, гравитационным центром является человек-руководитель, нужно понимать важность его миссии. Когда он закончит свой жизненный путь — его ошибки или его успехи будут проявлены в будущем. То есть, если я отвечаю в первую очередь за свою семью, то президент своими действиями отвечает за судьбу страны. Ну, здесь и без мистики все понятно, примеров очень много.

Вещь, которая меня всегда интересовала, — почему множество цивилизаций имели культ захоронения лидеров. Случаи из жизни, которые мне предоставили люди, посетившие Египет, заставили взглянуть на проблему в большем масштабе.

Всем известно, что египетские правители с особой тщательностью возводили пирамиды и давали указание на свое бальзамирование. Я не представляю, кто был их инструктором, кто был источником информации, но цель, которую они преследовали, для меня очевидна. Начальники Египта понимали, что методы их правления, насквозь пронизанные убийствами и негативной эмоциональной оценкой их подданных, не позволят в дальнейшем удержать систему естественным образом — шанс появления в клане следующего лидера, способного по своим природным характеристикам удержать приемлемое для всех наследников состояние, стремится к нулю. Поэтому они прибегли к консервации власти, используя не природную гравитацию и харизму живой личности, а гравитацию личности мертвой, но с максимально выраженной силой.

Однако история говорит мне, что этот синтетический путь развития всегда приводил и будет приводить к краху системы. Этот метод консервации власти не имеет правильного, естественного развития, потому как не способен обеспечить реализацию подлинных, настоящих лидеров в семье, клане, стране, потому что не дает выстроить тождество. Справедливость фрактальности перекрыта искусственным гравитационным источником.

Возведение различных пирамид, мавзолеев, зиккуратов, прочих объектов, связанных с созданием синтетического ядра концентрации власти, я наблюдаю вплоть до настоящего времени. То в одном, то в другом государстве возникает мысль о захоронении какого-то конкретного политического деятеля. Как правило, такие государства имеют политическую ориентацию, построенную на принципе преимущества большинства над меньшинством. Синтетическая система обладает каким-то инстинктом самосохранения. Такая ситуация вполне устраивает тех, кто максимально втянут в орбиту кумира. В случае России — Мавзолей, который пока сильнее любой естественной харизматичной центростремительной личности!

Даже если сильная личность и приходит к власти — зиккурат подавляет ее волю и направляет ее на сохранение системы любой ценой, вплоть до массовых репрессий. Облученная большая часть людей совершенно неосознанно принимает решение примкнуть к более сильному человеку или человеку, не обладающему такой силой, но приближенному к синтетическому центру.

Да, возможно появление личности, превосходящей по силе синтетическое ядро концентрации власти, — и они есть, и они приходят во власть, но этим личностям крайне тяжело противостоять синтетике. Синтетический концентратор снижает интуицию, энергия такого лидера проходит тяжелейшее испытание на прочность. Сам он может его выдержать, но вот обычным людям — подданным или подчиненным — крайне тяжело, и они будут подталкивать лидера естественного к лидеру искусственному.

Наличие синтетических центров максимально снижает способность людей мыслить и интуитивно использовать в своей жизни десять правил естественного формирования системы.

Когда-то в детстве, читая в Библии про некоторые вещи, я не задумывался о том, что текст несет четкие понятия, позволяющие выйти на естественный и правильный путь. Но сейчас, разбирая жизненные ситуации моих посетителей, я стал понимать, почему для придания стабильности заповеди настоятельно рекомендуют почитать отца своего и мать свою: то есть на микроуровне системы задается параметр, не позволяющий уйти с орбиты. Традиция на этом уровне принципиальна важна.

Библия дает информацию о том, что нельзя создавать объекты поклонения: «не сотвори себе кумира». Очень много интерпретаций этого слова. Но это практически запрет на создание объектов, способных заместить энергетику живого человека и тем самым остановить движение естественного порядка вещей, создания и воспроизведения системы гармоничной и справедливой.

Десять заповедей относятся не только к конкретному индивидууму, но и к системе в целом. «Не возжелай добра ближнего своего, ни вола его…» — то есть не проводи агрессивную политику по отношению к соседям по садовому участку, городу, стране, континенту, планете. Не загоняй их в депрессию, не вызывай отрицательную эмоцию.

Принимая во внимание принцип фрактальности, мы можем сказать, в Библии нет расшифровки воздействия заповедей на планету, достаточно изложить на уровне «человек — семья». И применить его исключительно на этом уровне, а на мир в целом оно само распространится! Можно менять ситуацию силовым путем, но этот путь противоречит инструкции Иисуса. Силовой метод — это всплеск отрицательных эмоций, и он опять же приведет к созданию синтетического центра.

То есть вся эта инструкция, состоящая из десяти пунктов, направлена исключительно на то, чтобы, создавая положительные эмоции у окружающих, ты усиливал свои позиции для себя и своих потомков; создавая отрицательные эмоции — ты создавал проблему на много лет вперед.

34.

Я помню картину из моего детства: мне семь лет, огромный дедовский дом, большая комната, меня поселили в этой огромной комнате. Мне никогда раньше не приходилось спать в таком огромном помещении. Может, оно было и не такое большое, но тогда, в семилетнем возрасте, оно мне казалось гигантским.

Трое суток в поезде, долгожданная встреча с бабушкой, дедом и многочисленными родственниками — все это изрядно меня утомило, и я хотел поскорей уснуть. Я лежал с закрытыми глазами и вспоминал прошедший день, как все было здорово, а завтра с утра папа обещал взять с собой на рыбалку. Главное — не проспать, я знаю, если я буду спать, папа не будет меня будить. Надо сейчас уснуть и проснуться пораньше, уж очень хочется на реку. Еще несколько секунд — и я бы уснул, но вдруг что-то вывело меня из этого состояния. Я еще не открыл глаза, но уже чувствовал на себе чей-то взгляд.

В комнате был Иисус. Его портрет висел на стене, прямо напротив моей кровати, и был освещен уличным фонарем. Днем, забежав в комнату, я даже не обратил на него внимания, но сейчас была ночь и он смотрел на меня — внимательно и строго. Я никогда раньше не встречал таких больших портретов Христа. Все его изображения, виданные мной до этого дня, вернее до этой ночи, были небольшими иконами, выполненными в традиционной манере, и не производили на меня какого-то особенного впечатления.

Я не могу назвать эту картину иконой, это был портрет, настолько реалистичный, что он и сейчас в моей памяти. Мне было неловко под этим взглядом — он знал про меня все: и про то, что я хочу завтра пойти на рыбалку, и про то, что мне пора спать. Я смотрел на него завороженно — как же я тебя днем-то не заметил? «Мне надо спать, — сказал я, — спокойной ночи». Повернулся на бок и уснул.

Утром папа не стал меня будить. Он зашел, посмотрел, что я сплю, и не стал меня будить. Я проснулся, и день закипел, опять родня, шум, гам. Тем временем папа вернулся с рыбалки и принес несколько карпов, а я вовсю носился по двору и обследовал пространство. Ох, как хочется пить! Я встал на завалинку и крикнул в окно, в ту комнату, где я провел ночь:

— Мама, ма, дай попить!

Я видел свою кровать, на которой провел ночь, я вспомнил Иисуса. Отсюда, с этой точки мне не был виден его портрет. Мама принесла мне воду в железной эмалированной кружке, я выпил залпом.

— Мама, видишь Иисуса, он ночью на меня смотрел.

— Он на всех смотрит, — сказала мама.

В следующую ночь я его не увидел. Наверное, фонарь за окном не включили, подумал я, но на всякий случай сказал ему «спокойной ночи!». Утром, вспомнив про фонарь, я посмотрел в окно. Фонаря не было. И столба, на котором он должен висеть тоже не было. Не было никогда.

35.

Светлана Петровна позвонила мне из больницы. «Саша, вот приболела, пневмония у меня. Старость не радость». По ее голосу я догадался, что она знает, что никакая это не пневмония. И понимает, что дни ее сочтены. Как жаль, что ее мечта о раскрытии тайны гибели поэта при ее жизни не реализуется.

Я поехал к ней в больницу. Она стала совсем худенькой, прозрачной, и только зеленые глаза были такими же проникающими в душу. «Я знаю, рано или поздно, но правда будет обнародована. Необходимо время, а его у меня совсем нет». Я тоже понимал, что времени у нее практически не осталось. Это была наша последняя встреча. Встреча с человеком, который дал мне возможность пройти через очень важный для меня опыт, связанный с определением подлинности тех или иных музейных экспонатов, который потом позволил мне принять верное решение в глобальном вопросе. Но тогда ни она, ни я еще не знали, для чего судьба выкрутила наши маршруты так, чтобы мы встретились.

Светлану Петровну похоронили на Ваганьковском кладбище, в семейной могиле. На похоронах я думал о том, что до сорока восьми лет судьба ставила на моем пути людей, по большей части выступающих в роли неких препятствий. Взаимодействуя с этими людьми, я должен был либо измениться в лучшую сторону, либо сломаться. Их было очень много. Но вот настал такой момент, когда в моей жизни стали появляться люди, не пытающиеся меня менять, а просто помогающие мне. Судьба прекратила меня обтачивать на наждаке, строгать рубанком и каленым железом укрощать мою энергетику, а стала просто благосклонной. Так вокруг меня появилось множество людей. Так появилась Алена.

Она появилась, когда переживала величайшее горе в своей жизни: умирала ее любимая мама. Игры мироздания бывают очень жестокими. Если видишь только тактику и не знаешь стратегию, воспринимать мир, как любящий тебя, крайне сложно. Нам с Аленой пришлось пройти длинный путь, и он не был простым. Мы, двигаясь навстречу друг другу, через годы, через время, оба пережили свои личные трагедии. Возможно, у мироздания не было другого варианта, как болезнь Алениной мамы, которая смотрела все программы с моим участием и отправила дочь ко мне для того, чтобы я помог, а на самом деле, как оказалось, с совершенно другой целью — познакомить нас. И, возможно, реализация этой задачи сделала болезнь уже ненужным фактором. Мне показалось, что это я справился с болезнью, а на самом деле в ней просто отпала необходимость, и Аленина мама выздоровела сама. Грандиозность Творца непостижима, и то, что кажется ужасным здесь и сейчас, вдруг через какое-то время оборачивается благом, и совершенно наоборот, объективная польза оборачивается трагедией!

При встрече с Аленой мне не понадобилось много времени на аналитику, да ее, собственно, и не было, это было интуитивное понимание — а себе я верю. А вот сомнения были. Большие сомнения. И я, понимая, что этот человек мне необходим, все равно устраивал испытания, порой очень жесткие. Я не представляю, как она выдержала их. Но выдержала. Я понимал, что рано или поздно мне надо будет знакомить Алену с моими сыновьями, это тоже было испытанием, но мы его прошли — и я, и Алена, и Альберт, и Евгений. Я познакомил их и сам был в некоем напряжении от возможной реакции, да и переживания Алены передались мне, я успокаивал ее, говорил, что все будет хорошо.

Был август, и мы поехали в Псков. Там живет мой дядька, в огромном доме на берегу озера. Мы поехали к нему на день рождения. Я не знаю, что опять меня дернуло, но я опять устроил Алене испытания, и тут… на ее защиту встали мои сыновья! Евгений, в силу дипломатичности, пытался выстроить свою речь, а Альберт сказал мне прямо в лоб: «Папа, мы считаем, что ты неправильно себя ведешь».

В общем, их критика в мой адрес подействовала. Мне было страшно неудобно и перед Аленой, и перед сыновьями, но объективность сыновей меня не огорчила. Я подумал тогда: они уже взрослые и все понимают. И зачем же я снова и снова испытываю ее недоверием? Или я себя испытываю? Ведь сам же сказал еще в марте две тысячи девятого, через несколько дней после знакомства: «Девушка, я на вас женюсь». Мы тогда еще были на вы. На ее вопрос «когда?», вместо моего сакраментального «своевременно», я вдруг сказал: «В апреле две тысячи двенадцатого года. Двадцать восьмого, в субботу».

36.

Я никогда не был за границей, в силу своей профессии я был «невыездной», у меня даже загранпаспорта не было. И вот первая моя поездка. Мы с Аленой прилетели в Тулузу, город на юго-западе Франции. Я ничего не знал об этом городе, кроме того, что там находится Тулузский университет, один из крупнейших в Европе, завод, выпускающий самолеты Airbus, центр космических исследований, а еще я знал, что в ста километрах от Тулузы живут друзья Алены.

Из аэропорта мы сразу поехали на центральную площадь города. Выйдя из машины я вышел на площадь: надо познакомиться с городом поближе. Я присел и положил руки на горячие камни, и тут… мне стало плохо. Нет, реакция не была похожа на ту, в Пушкинском музее, когда я решил исследовать египетскую мумию, это было нечто другое. Меня замутило, и все это было так стремительно, что я прекратил дышать, мне надо было срочно уйти с площади, ну хотя бы до ближайшей урны.

В каком-то тумане я увидел на углу здания вход в кафе. Мне показали где туалет. Меня вырвало, холодный пот пробил мое тело, я замерз так, как будто на улице минус тридцать. Я умывал лицо водой, то горячей, то холодной, постепенно мне становилось легче, и минут через десять я был практически здоров.

Что это было? Надо бы почитать про этот город повнимательней. Мне не понравилась проявленная эмоция страха. Там, на площади, мне было страшно — да, именно страшно! Умывшись и выпив холодной воды прямо из-под крана, я вспомнил, как однажды в детстве, мне было лет восемь, я заправлял бензиновую зажигалку. Бензин стоял в гараже, в двухсотлитровой бочке. Заправив зажигалку, я как-то автоматически нажал кнопку, и от искры зажглась бочка с бензином.

Мне повезло, бочка была полная, под самую пробку, это и спасло меня, иначе она бы взорвалась. Тогда мне было очень страшно. Страх предстоящего взрыва и огня на секунду загнал меня в ступор, но возникшее решение было единственно верным. Я справился и, обжигая руки, закрыл бочку железной пробкой — без доступа кислорода пламя исчезло.

Была такая же тошнота, но тогда я подумал, что это от запаха бензина.

Алена очень за меня испугалась.

— Что это было? Ты белый как мел.

— Пока не знаю, надо книжки почитать, с местными поговорить.

Мы сели в симпатичный прогулочный паровозик и отправились осматривать этот чудесный город из розового кирпича. Он мне понравился, но пока я даже не стал пытаться сканировать его — мне хватило того, что произошло на центральной площади, я решил, что для начала мне нужны обычные источники информации. Непонятно, на что можно нарваться, я не дома — как-никак заграница, нужно быть бдительным, подумал я и улыбнулся: Советский Союз просто так не вытравишь. Вспомнилась подписка о неразглашении: «В случае контакта с гражданами иностранных государств немедленно докладывать своему непосредственному начальнику». Их полная площадь, иностранцев, вернее, они у себя дома, а иностранец здесь я! Это меняет дело. В те далекие времена я представить себе не мог: где я и где Франция.

К моему стыду, оказалось, что я совершенно не знаю историю Франции. То, что французы не знают историю России, меня нисколько не смущало — ну не знают и ладно. О, как бы мне пригодились эти знания в первый день знакомства с Тулузой. Я бы действовал намного осторожнее. Но что сделано — то сделано.

Я знал, что в Тулузе есть университет. Нормальный факт, университетов в мире очень много. Но вот то, что он был создан с конкретной целью, прежде всего чтобы готовить кадры для борьбы с еретиками, я не знал. Мои знания об инквизиции были поверхностными. Да, была борьба с теми, кто отрицал Бога, но, попав в Тулузу, я для себя сделал удивительное открытие: инквизиция боролась не с еретиками-язычниками, а с теми, кто ради Бога шел на костер. Кто признавал Христа, но не признавал римскую церковь и папство. Я говорю о катарах, которых все население называло добрыми людьми, они жили в Окситании и превратили весь регион в единую семью.

Первый костер инквизиции запылал в Тулузе. Именно в этом городе сожгли первую ведьму. Изучая историю этого края, я нашел описание первых ведьм. Рост выше среднего, бледнолицые, светловолосые или рыжие, глаза голубые, серые или зеленые, либо сочетание этих цветов. Первую ведьму сожгли в Тулузе в 1275 году, и потом еще много лет пылали костры на этой земле. Точных сведений не сохранилось, но даже то, что есть, ужаснуло меня. В 1577 году здесь на одном костре одновременно сожгли четыреста ведьм. Потом критерии изменились: сжигались всех подряд, покаявшимся была дана привилегия — их вешали.

Читая эти строки, я сидел в полном оцепенении. Пламя этих костров достало через века. Я даже представить себе не могу, что же могло привести к таким жертвам и почему они ради спасения своих жизней в основной своей массе — не каялись.

Путешествуя по окрестным городкам и деревням, я увидел, что во Франции, а особенно на ее юге, распространен культ Марии Магдалины. Практически в каждом населенном пункте есть церковь ее имени. Французы преклоняются перед ее образом, и в их восприятии она не менее популярна, чем Дева Мария и сам Христос. Причину такого преклонения я нашел все в той же истории. Французы, населяющие юг Франции, поголовно уверены в том, что Мария Магдалина прибыла к ним из Константинополя через Египет. Вера катар тоже пришла с востока — как рассказал мне сотрудник музея, она пришла из Болгарии. Я еще не знал, что я буду со всем этим делать, но память моя цепко фиксировала эти крайне разрозненные сведения.

Пытаясь понять историю, я смотрю на карту мира через развитие стран, территорий и, соответственно, через перемещение людей и их идей по планете. Это помогает сориентироваться и понять некоторые закономерности. Отслеживая путь катар, я понял, что он исходит не из Болгарии, а, скорее всего, непосредственно из Иерусалима. Кто-то, будучи предтечей катар, возможно, был свидетелем распятия Христа, и не просто свидетелем, но и обладал информацией, большей, чем история располагает на сегодняшний день.

На своей карте я пометил ряд городов, и под номером один у меня оказался Стамбул. Почему Турция, почему Константинополь?

Когда я изучал все, что связано с христианской религией, меня всегда смущал один вопрос. Чтобы произвести на людей впечатление, недостаточно быть пророком. Еще нужно, чтобы те, кто слушает проповедь, были готовы к восприятию истины, воспринимали все сказанное как истину. Люди, рожденные в пустынях и живущие в пустынях, на порядок менее интуитивны в основной своей массе, чем люди, живущие у берегов больших рек и морей. Менее интуитивные не означает менее способные, но у них превалирует логика, а логика — враг интуиции. Каждая песчинка, отражая желтый спектр, лишает возможности ощутить всю истину проповедника, и слушателям будет явно недостаточно только слов, им еще будут нужны чудеса.

Турция — гигантский полуостров, пролив Босфор находится в западной ее части. Это не просто пролив, это практически морская река, имеющая весьма приличную скорость течения. Босфор представляет собой старую речную долину, затопленную морской водой в глубокой древности, и имеет два течения: верхнее, с распресненной водой, вытекающей из Черного моря, и нижнее, соленое, по которому вода поступает из Мраморного моря в Черное и устремляется в виде мощного потока далеко на север. Энергия этого пролива, распространяемая в глубь полуострова, омываемого с юга и севера водами Черного и Средиземного морей, как никакая другая подходит для развития интуитивных характеристик людей, населяющих берега пролива и полуостров. Все эти мысли привели меня к осознанию необходимости посетить этот регион.

Еще один немаловажный факт, который сподвиг меня на путешествие в Стамбул и его окрестности, — это свидетельства различных исторических документов о проживании на территории Турции и Девы Марии, и Марии Магдалины, и огромного количества святых, в том числе и святого Николая, почитаемого во всех христианских религиях. Я решил, что первым пунктом будет Стамбул, а там посмотрим, пока же буду изучать Францию.

Пройдя Тулузу вдоль и поперек, я фиксировал изменения в своих ощущениях. Где-то мне было очень комфортно, а где-то я испытывал невероятный страх и ужас. Я помнил, как мне стало плохо по прилете в этот город, как только я вышел на центральную площадь и мои руки коснулись ее камней. Сейчас я действовал осторожно, но эта осторожность мне мешала, этот страх нарваться на боль сдерживал меня. Нет, это не работа, подумал я, надо прекратить бояться, убить — не убьет, в худшем случае — просто станет плохо, но по крайней мере я знаю отчего. У меня с собой была вода, и я периодически делал два-три глотка из бутылки.

Вот так, попивая воду и перемещаясь по городу, сосредоточенный исключительно на своих ощущениях, не задавая мирозданию никаких вопросов, я просто фиксировал точки на карте и в своей памяти. В результате этих исследовательских прогулок самой сильной по ощущениям, центральной точкой, для меня стала одна небольшая площадь в центре города. Она представляла собой острый треугольник, в центре которого стоял фонтан. Я пометил в своей памяти это место.

Несмотря на то что на улице было далеко за тридцать, мне не было жарко. Напротив, я замерзал, меня знобило на солнцепеке! Название площади мне ни о чем не говорило — Place Roder Salendro. Я набрал в Интернете название этой площади. Она названа в честь французского политика, который закончил свою жизнь по своей воле. Совпадение? Возможно, совпадение. Возможно, и нет. Но место примечательное.

Вернувшись домой, в Россию, я сказал Алене, что нам нужно посетить Стамбул.

— Ты была там когда-нибудь?

— Нет, не была.

— Вот и замечательно. Помнишь, я говорил, что у тебя византийская кровь? Тебе будет интересно прочувствовать энергию предков. Отметим там твой день рождения.

Евгений поехать с нами не смог, а у Альберта было свободное время. Я пригласил с собой еще пару друзей, и мы отправились в Стамбул.

37.

Стамбул меня просто очаровал. Меня достаточно сложно удивить: гуляя по Парижу и наблюдая переплетения его улиц, я ловил себя на мысли о том, что город красивый, но я не чувствую какого-то особенного трепета. Да, теперь я узнаю его на любой картине или фотографии, у него есть свой стиль, но не более того.

А вот про Стамбул я такого не скажу. Это не стиль, это не восточный колорит, нет, это — сама история. Его древность меня поразила. Сколько же тысяч лет здесь живут люди? История этого не знает, а мне показалось, что люди здесь появились на свет. Именно в этом месте, а не в далекой Африке. Каждый камень этого города был наполнен жизнью. Я ходил по его улицам и площадям, по мостам через Босфор и наслаждался морским воздухом, и даже пение муэдзинов через многочисленные ретрансляторы способствовало пониманию этого вечного города.

Мы пришли в Софийский собор, Айя-София, храм храмов и символ Стамбула. Я замер на входе и прикоснулся к древним стенам: мне нужно договориться и со стенами, и с людьми, которые сейчас находятся внутри. Мои спутники, сопровождаемые гидом, ушли вперед, а я начал свою экскурсию.

Людей было довольно много, но народ не шумел, и только то там, то здесь я слышал восхищенные возгласы, а восхищаться было чем. Архитектура храма и древние фрески были просто великолепны. Позабыв о времени, я рассматривал всю эту красоту и совершенно незаметно пришел в самый центр. Я стоял под огромным куполом, задрав голову вверх и… детское воспоминание накрыло меня! Я опять оказался в своем детстве, в том самом моменте восхищения, когда рассматривал крест на колокольне Михайловского собора в Троицке.

Как же повезло людям, что такая красота не разрушена, как разрушено огромное количество храмов и тот самый собор из моего детства. Сейчас, стоя под куполом, я вернулся в то далекое время, и дикий восторг заполнил всю мою душу, мне хотелось взлететь, я прямо почувствовал, что поднимаюсь вверх, такое было удивительное состояние.

Не могу сказать, сколько по времени оно длилось. Кто-то, проходящий мимо, слегка толкнул меня, я сместился в сторону, и все вернулось на место. Ни полета, ни восторга. Я посмотрел на человека, который меня толкнул, он стоял так же, как несколько секунд назад стоял я, задрав голову, и рассматривал древнюю резьбу на колоннах. Здесь, вероятно, все пребывают в каком-то блаженстве, подумал я.

Мне захотелось еще раз посмотреть на купол, я поднял глаза вверх. Купол как купол, такого восторга уже нет, но настроение все равно было замечательным. Храм огромный, и мне есть что посмотреть.

Я пошел вправо и увидел огороженную бархатными канатами площадку — место, где крестили императора Константина. Ограждение говорило о том, что заходить за него нельзя, а это значит, что мне туда обязательно надо. Я перешагнул через ограждение и уселся на камни. Нет, такого ощущения, как под куполом, не было, но энергия власти, жесткой, сильной и справедливой, здесь чувствовалась сильно.

Это мне напомнило замок во французском городе По, замок, где родился Генрих Четвертый, Наваррский, Король Франции. Город По впечатлил меня именно этим — энергетикой власти, и позже я выяснил, что в этом городе появились аж две династии французских королей. Запад всегда дает власть, и мой экскурс в китайскую грамоту это подтверждает. И здесь, в Стамбуле, на западном берегу Босфора, я почувствовал эту власть. Но она была другой, она была без оружия, но с колоссальной силой.

В левом от центрального входа в храм углу люди выстроились в какую-то очередь. Интересно, зачем они здесь стоят? Один за другим, они не спеша продвигались к квадратной колонне. Низ колоны был обит медным листом, а на высоте полутора метров в этом листе было отверстие, в которое нужно вставить большой палец и провернуть кисть, не отрываясь, на триста шестьдесят градусов, загадав при этом желание. Судя по отполированной поверхности несколько миллионов туристов оставили здесь свой след и свои мечты. У кого-то получилось, и желание было исполнено.

Я наблюдал за людьми и видел, как они загадывают свои желания. К сожалению, практически все делали это молча — они забыли, что вначале было слово. Желание — это как молитва: произнося и то, и другое, мы обращаемся к одному источнику. Дырка в колоне — это не более чем тумблер, включающий механизм веры. И тогда происходят чудеса, и тогда о таких местах говорят, что это место силы, или намоленное место, — по-разному говорят, но то, что это пусковая кнопка, я уверен на все сто процентов и поэтому непременно использую эту возможность: быть у кнопки и не нажать — невозможно! Я загадал желание и отправился дальше.

Народу в храме прибавилось. Пробираясь сквозь толпу, я смотрел себе под ноги и вдруг неожиданно для себя увидел крестик. Он был не очень заметным, но я его увидел — пять на пять сантиметров. Интересно, зачем он здесь, на полу. Метка? Я остановился, и людям пришлось обходить меня. Я даже присел на одно колено рассматривая этот крест. Чуть дальше в серой каменной плите я заметил небольшую вставку прямоугольной формы из белого камня. Интересно, для чего была проделана эта работа? Зачем в плиту вставлять, предварительно аккуратно вырезав и отшлифовав, этот белый камень? Может быть, здесь был какой-то дефект и его решили устранить?

Я поднял голову вверх. Оказалось, что я нахожусь в центре храма, в той самой точке, где стоял полчаса назад в изумлении. Тогда я не смотрел под ноги, а теперь точно по центру, под куполом, я вижу крест и чуть в стороне эту инкрустированную одним камнем плиту. Став точно на крест, я закрыл глаза. Пока ничего. Постепенно я стал смещаться в сторону белого камня. Десять, двадцать, тридцать сантиметров, полметра, метр. Опять ощущение взлета, ощущение, как будто я на качелях качаюсь.

Делаю шаг в сторону — ничего. Возвращаюсь на место — взлет.

Я постарался уйти в состояние некоего сна, прострации, на границу, где контроль над телом минимальный, и через некоторое время... я чуть не упал! Тело мое раскачалось помимо моей воли. Что это было, я не понял, но запомнил свое состояние и свои ощущения некой невесомости.

Нашим гидом был местный молодой человек по имени Тимур, очень хорошо говоривший на русском языке. Его мама была болгаркой, а папа — турецкоподданным. Я спросил его про тот камень, но он ответил, что про камень ничего не знает, но вообще, на этом месте стоял трон императора.

— Что, прямо вот так, по центру храма?!

— Да, именно так, в самом центре храма стоял трон.

Странная какая диспозиция, подумал я, но в древности могло быть много причин для этого.

Мне не хотелось выходить из Айя-Софии. Воспоминание восторга, возвращение в детство, к началу, было просто потрясающим. Я так и сказал своим спутникам: «Давайте еще здесь побудем, мне здесь очень хорошо». Но храм уже закрывался, и мы отправились гулять по стамбульским улочкам.

38.

На следующее утро мы отправились во дворец Топкапы. Дворец — всем дворцам дворец, и чего там только нет. Идем, смотрим. Интересные вещи, предметы интерьера, оружие — все красивое и старинное. Музеи для меня всегда представляли интерес, а после истории с домом-музеем Пушкина этот интерес приобрел уже другой смысл. Пока ничего особенного: вещи красивые и старинные.

Но вот в одной из витрин я увидел вещи, принадлежащие конкретному лицу. Алена, помня «пушкинский эксперимент», спросила меня: «Что думаешь, подлинник?» Нет, подделка — копилка эмоций закрыта. Идем дальше, не спеша рассматривая всю эту красоту. В одном из залов стеклянная витрина. Подхожу, смотрю. Деревянная палочка, высохшая от времени, и кажется, если ее взять в руку, рассыпется в прах. Надпись внизу на английском и турецком. Оборачиваюсь к Алене:

— Переведи. Палочка какая-то интересная, на волшебную похожа.

Морозом обдало раньше, чем Алена перевела текст:

— Здесь написано, что это — посох Моисея. Может такое быть?

После того как она сама лично ощутила тот энергетический всплеск в доме-музее Пушкина, у нее не оставалось сомнений в существовании неведомых энергий, невидимых и не регистрируемых приборами.

— Ты не поверишь, но, похоже, подлинник…

— Не может быть!

Логика говорит: не может быть, а объемный фон и холод говорит, что может. Религиозным деятелям я не доверяю хотя бы потому, что тексты, которыми они пользуются, были переписаны тысячи раз, прежде чем дошли до нас. Когда прямое намерение, а когда и просто фантазия или личное мировоззрение заставляли переписчика что-то добавлять, а что-то опускать. Но здесь, в Стамбуле, оживали все библейские легенды. Я еще не был в Эфесе, где жили Дева Мария и Мария Магдалина, я еще не был на родине святого Николая, так почитаемого всеми, но он тоже был здесь, в Турции, как и множество других христианских святых, имеющих «турецкие маршруты» в своих путешествиях-проповедях.

Я смотрю на Галатскую башню. Вот она, рукой подать, только мост перейти через бухту Золотой Рог. Я смотрел множество старых карт и читал послание апостола Павла к Галатам. На старой карте древняя Галата была намного восточней Стамбула, в центре полуострова, но ее признаки находятся здесь, а не там. Район города, башня. Очень плотная концентрация библейских тем, и с этим надо разобраться, а пока я ломал голову по поводу посоха.

Интересно, как он сюда попал? Где Израиль, где Египет и где Турция. С точки зрения современного транспорта это, конечно, все близко, но миграции в древности не были такими стремительными. Я остановил свои рассуждения. Я знал, что картинка сложится как надо, нужно только собрать как можно больше пазлов, и один из них будет ключевым. Приеду в Москву и буду читать, что и как.

Наш гид неплохо ориентировался в истории города, но в пределах тех знаний, которые есть в открытом доступе. Правда, одна тема, изложенная им, мне показалась особенно интересной.

Гид рассказал, что на азиатской стороне Босфора находится гора Юши. И там, на этой горе, есть могила Юши, она необычная, она большая. Семнадцать метров на два.

— Кто такой Юша? И чем он знаменит?

— Юша — это Иисус Навин, соратник и сподвижник Моисея. Наши легенды говорят, что он именно там похоронен, хотя греки утверждают, что там голова Геракла, — он не сказал Геракла, он сказал «голова Геркулеса», но я понял, о ком идет речь. — И еще есть история, что там голова Адама.

А вот эту историю я знал — голова Адама находится в горе Голгофе, а Голгофа, как известно, в Израиле. Ох, сильно сомневаюсь я по этому поводу. Пока сам не поднимусь туда, ничего говорить не буду. Гид дополнил историю про гору Юши еще одним интересным фактом: через пролив, прямо напротив огромной могилы, обнаружены двенадцать других могил, и вот про их происхождение точно никто не знает. История с горой показалась мне достойной внимания.

Стамбул удивлял меня все больше и больше, но пришло время возвращаться домой, в Москву, и уже там восполнять пробелы в знании истории. Пожалуй, мое главное ощущение от города было таким: Стамбул явно старше того возраста, который ему дает современная история, а азиатская его составляющая выглядит как некая бутафория, как некая маскировка, укрывающая некогда бывшую здесь европейскую цивилизацию. Я не успел побывать на азиатском берегу, и пока у меня не было полной визуальной картины для сравнения, но мысленно я уже отправил запрос на исполнение моего желания побывать там и подняться на гору Юши.

По возвращении в Москву я принялся за изучение истории Стамбула и нашел в Интернете информацию о том, что, возможно, библейские тексты интерпретированы неправильно и настоящий Иерусалим — на Босфоре, а Айя-София и есть храм Соломона. Исследователи, утверждавшие это, провели большой объем работы по изучению древних литературных источников и легенд, и совпадение моих ощущений с их выводами меня заинтриговало. Я посмотрел в свой календарь: график был очень плотный и в ближайшие год маловероятно, что я смогу поехать туда, да и без соответствующей исторической подготовки делать там нечего. Я опять обложился книгами, стал изучать события прошлых веков и сравнивать их со своими ощущениями.

39.

Тем временем практика моя расширялась, в ней появлялись разные истории, некоторые из них достойны отдельного исследования, и я, возможно, когда-нибудь опубликую его. Было все: часто люди читались как открытые книги, но бывало и так, что я попадал в серьезный тупик, который был прежде всего связан с дилеммой: имею ли я моральное право говорить правду, если мои ощущения были не самыми хорошими, имею ли я право лишать людей надежды?

Однажды ко мне пришла женщина. Невозвратную потерю я слышу за версту, но стараюсь даже не думать об этом и ничего не говорить в надежде, что я ошибаюсь. Но здесь ошибиться было невозможно — событие уже произошло. Женщина сказала, что ее привел ко мне один вопрос, касающийся ее сына, и хотела было достать фотографию, но я ее остановил: «Подождите, пока мне нужны только его имя и дата рождения». Бензиновое пятно крутилось, я опять отматывал время, и черно-белый рентгеновский снимок, возникший у меня в голове, не оставлял никаких сомнений. Я увидел негативное изображение человека, лежащего на спине, руки его были сложены на груди. Несколько поодаль лежал точно такой же, но его я видел не так четко. Я открыл глаза. Он похоронен.

— Подождите, я сейчас налью себе стакан воды.

Проходя мимо женщины, я услышал слова, их произнесла не она, они прозвучали сами в моей голове: «Пенза». Я остановился.

— Это случилось в Пензе?

Женщина кивнула:

— Да, там. На трассе. Лобовое столкновение. — Женщина достала фотографию молодого человека. — Это мой сын. Он был у вас.

Я посмотрел на снимок. Да, был. Я сразу вспомнил этого симпатичного парня. Он приходил ко мне по вопросам карьеры. Я принес воды себе и посетительнице. Она сделала глоток и начала рассказывать:

— Он приехал домой на Новый год, и десять дней мы были вместе, а на одиннадцатый день он стал собираться в Москву. Отец и я стали его уговаривать, чтобы он остался. «Да что вы все меня останавливаете? Вот у Литвина был — он мне тоже сказал, чтобы в январе из дома ни ногой».

— Да, я ему так и сказал. Сиди дома и ни шагу за порог. В январе ты — мишень. То, что может прилететь в тебя, прилетит, но лучше отсидеться, потому что мирозданию иногда все равно — кирпич прилетит или снежок.

— Он не послушался. Он поехал вместе с другом. Так они и лежат теперь рядышком.

Я смотрел в глаза убитой горем женщине. Я его предупредил. Я сказал, что этот январь — самый опасный за всю его жизнь. Но, вероятно, сверху виднее, когда ему было суждено уйти. Она пришла ко мне с просьбой помочь с ним поговорить.

— Поскольку вы его предупреждали и он сам мне про вас рассказал, может быть, вы можете как-то связаться с ним? Я так хочу с ним поговорить.

Как я ее понимал, но отозваться на ее просьбу не смог.

— Я не знаю, возможно, я бы и смог каким-то образом связаться с вашим сыном, но то, что этого делать нельзя, я знаю. И знаю не из каких-то инструкций, а исключительно исходя из своей интуиции, которая говорит мне: не лезь туда, не твое, не время.

Я уже неоднократно задавался вопросом о предупреждении тех или иных печальных событий. Я исходил из того что если мироздание дает мне знак, стало быть, есть возможность им воспользоваться и предупредить. И в каких-то ситуациях те, кто получил от меня информацию, благоприятно избежали неудач. Но, видимо, я был еще недостаточно подготовлен к работе со знаками, потому что событие, к которому я подошел, дало мне понять крайнюю необходимость моей работы не только для меня, но и для огромного количества людей.

Я возвращался с Урала в Москву. Мой самолет приземлился в Домодедово. Все как обычно: я вышел из самолета и не спеша направился к «Аэроэкспрессу». На выходе из аэропорта я поскользнулся и упал. Возможно, для кого-то это ничего не значащий факт, но я, много лет отдав спорту, научился падать правильно, на рефлексах, а здесь рефлексы меня вдруг подвели — я очень сильно ударился рукой об асфальт.

Удар был такой силы, что от боли на какое-то мгновение потемнело в глазах! Из этого состояния меня вывел заботливый голос таксиста, он подхватил меня со словами «куда едем?». Вот это его профессиональное «куда едем?» и вернуло меня в реальность. Я смеялся сквозь слезы, ну надо же, другой бы спросил, как я себя чувствую, все ли в порядке, а этот с ходу «куда едем?». Ну что ж, домой едем.

Домой я приехал, уже практически не чувствуя левой руки. С большим трудом я снял с себя костюм, а вот рукав у сорочки снять было просто невозможно. Кое-как освободив руку, я увидел, что она просто черная — от плеча и до запястья один сплошной иссиня-черный синяк. Вот это гематома! Я прикинул, сколько понадобится времени на восстановление. Попросил Алену принести пакеты со льдом. Обложив руку ледяными пакетами, я думал о том, как некстати все это. Судя по боли, цвету кожи и отеку, говорящему о разрыве крупных сосудов, я не исключал перелом.

— Давай в травмопункт? Или «скорую» вызовем? — Алена была очень испугана. — Болит?

— Нет, абсолютно не болит, просто ноет.

Часа через полтора лед растаял, я решил поменять пакеты. Сняв повязку, я увидел, что рука уже не такая черная, появился желтый оттенок. Мне, сотни раз видевшему весь процесс изменения окраски кожных покровов при травмах, это показалось забавным. Я не сказал Алене, а сам подумал, что как-то необычно быстро регенерация проходит. Выпив болеутоляющие таблетки, я кое-как разместился на кровати и уснул.

Утром я проснулся и, только глядя на повязку, вспомнил о вчерашнем происшествии. Аккуратно пошевелив рукой и не почувствовав при этом никакой боли, я снял эластичный бинт с руки. Рука была обычной: ни синяка, ни царапинки. Я ощупывал свою руку, пытаясь определить локализацию ушиба, но ничего не обнаружил.

«Алена, а рука-то не болит, как будто совсем ничего и не было. Странно все это». И мне бы уже в этот момент начать отслеживать все знаки! И падение на ровном месте, и неспособность адекватно среагировать на это падение, и громадная гематома, которая за ночь исчезла. Но что-то постоянно уводило меня в сторону от этой аналитики.

На третий день после происшествия мне позвонил старший сын, Евгений. «Папа, я сегодня сон не очень хороший видел. В Домодедово теракт. Парень с криком „Аллах акбар“ взорвался». Я не помню, что именно меня отвлекло, но я опять пропустил эту информацию мимо ушей. А спустя месяц в транзитной зоне аэропорта «Домодедово» террорист-смертник подорвал себя и пассажиров.

Я сидел и складывал факты. Я не мог себе этого простить. Мироздание бросило меня на домодедовский асфальт, ушибленная рука необычно быстро восстановилась, Евгению приснился сон. Ну сопоставь ты все, ну просто сопоставь и сделай вывод! Он же был настолько очевиден! Я не могу сказать, что все было переопределено — если бы это было предопределено, я бы ничего не знал. А меня тыкали носом в знаки, они не просто были на уровне интуиции, меня практически били ими по голове и, как бы понимая, что до меня не доходит, дали три указателя на трагедию, и третий был самым понятным и самым ясным! Это был жестокий урок. Я не забуду его до конца дней своих. Возможность у меня была. Была, но я ею не воспользовался.

40.

До середины апреля 2012 года Алена не задавала мне вопросов, а числа двадцатого вдруг сказала: «Через неделю назначенный тобой день, ты не забыл?» День? Какой день? Забыл, я действительно забыл про этот день. Ох, боже ты мой, забыл, за всеми этими путешествиями, за многочисленной работой, я совсем забыл про назначенный самим собой день. Я сказал Алене, что женюсь на ней, но это будет позже, в апреле 2012 года, двадцать восьмого, в субботу. И вот этот день уже через неделю!

Я позвонил в загс и спросил, есть ли возможность зарегистрировать брак в субботу, двадцать восьмого апреля. На мой вопрос женщина с хорошо поставленным голосом (вероятно, она там лично объявляет о том, что заключен брак) сообщила мне, что все расписано на три месяца вперед, и дала понять, что «дела нужно делать своевременно, молодой человек». Из всего этого меня порадовало только ее «молодой человек». Обзвонив еще пару-тройку московских загсов — примерно с таким же успехом — я сделал вывод, что мне придется использовать свое служебное положение и попросить помощи у людей.

И, конечно же, в итоге все получилось как надо: назначено место и время, и вот я, в смокинге и бабочке, мчусь с невестой по Москве, объезжая пробки, и явно опаздываю, и мне уже звонит сотрудник загса и с нетерпением в голосе интересуется, собираюсь ли я вообще сегодня жениться, так как назначенное время истекло десять минут назад. «Едем, ждите!»

— Вот как бывает, Алена. Разве мог я подумать, что когда-нибудь так будет?!

— Да, я тоже не могла. Кстати, я только недавно вспомнила случай. Мне было двадцать. Мы с подружкой пошли к одной девушке, про которую говорили, что она ясновидящая. Она принимала на Кузнецком мосту. Она сказала мне, что я выйду замуж за мужчину, который будет лет на пятнадцать старше меня, что у него будет двое детей и что у него будут волосы цвета соли с перцем. Я тогда просто фыркнула, мол, все неправда, какой еще мужчина на пятнадцать лет старше, да еще и с детьми! А вот на тебе: и мужчина с сединой, и двое детей у него, и в загс с ним еду.

Я посмотрел на приборы. Едем-то мы едем, но доедем ли — вопрос: бензина в баке практически не осталось. Закрутившись с приготовлениями, я совершенно забыл заправить машину. «Алена, сюрприз… Бензин заканчивается, но я надеюсь, что дотянем до ковра согласия». И мы доехали!

Позже мои сыновья сказали, что это была лучшая свадьба, которую они видели. Этот загс, в котором мы с Аленой женились, оказался счастливым для многих моих знакомых. Кого бы я ни отправлял в этот загс, все быстро обзаводились детьми. Я звонил туда пять раз, и все пять раз с просьбой помочь в бракосочетании, и никогда не получал отказа, и всегда появлялись дети.

Интересно устроен мир: я никогда не видел Алену во сне, у меня не было никаких опережающих событие знаков. Все случилось так стремительно и спонтанно, что я подумал: вероятно, мироздание на какие-то моменты перекрывает интуицию в отношении каких-либо событий, и ты просто идешь к ним, не имея никакой возможности что-либо изменить. Так ведь и было: история происходила практически без моего интуитивного контроля. Так было угодно не мне, а мирозданию. Я вспоминаю, как уснул в кинотеатре на первом свидании. И все началось именно тогда, во сне, когда я пребывал в состоянии абсолютного покоя и комфорта, и источником этой энергии была Алена. Про меня можно сказать — влюбился во сне. Оказывается, и так бывает.

41.

Время шло, и подходил срок родов. Алена ни дня не была в декретном отпуске, она работала в своем офисе. Как-то, в самом начале беременности, она не пошла на работу, пропустив один день, и тем же вечером я застал ее всю в слезах и в расстроенных чувствах.

— Что случилось?

— Да вот, сижу читаю статьи в Интернете, а там такого понаписано... В общем, я себе все уже напридумывала.

— Немедленно закрой Интернет и слушай меня: все будет хорошо, не лезь за лишними знаниями. Не настраивай себя и никому ни слова не говори о беременности. Что снилось?

— В смысле?

— Что-нибудь снилось по поводу беременности?

— Бабушка приходила, положила мне руку на живот, улыбнулась и ушла.

— Ну вот, видишь, бабушка в курсе, им сверху виднее. Так что успокойся.

И Алена тогда решила, что работа — это лучший способ уйти от неправильных мыслей, и до самого последнего дня работала.

Дети не просто так появляются на этот свет. Чтобы обладать определенными характеристиками, отвечающими недостающему пазлу в картине мироздания, они должны появиться в определенный день и час. И если нам кажется, что причиной этому исключительно наше желание и наша воля — это стратегическая ошибка. Конкретный человек с конкретными параметрами появляется на этот свет для того, чтобы либо улучшить, либо ухудшить состояние и ныне живущих его предков, и его собственных потомков. Если он не знает этого, не понимает этого, то идет эмпирическим путем, чаще всего вступая с людьми в противоборство, в сопротивление безо всякого снисхождения и сожаления о содеянном.

Если же человек знает о том, что влияет на всех участников своей системы, то все его действия будут направлены на прогресс в отношениях с другими людьми. Человек переступает через свое «не могу и не хочу» и идет на контакт и на общение, стараясь получить максимум положительных оценок от людей, его окружающих. Своим старшим сыновьям мне удалось это объяснить давным-давно, но, оказывается, моя миссия еще не закончена, и я продолжу ее выполнение с удовольствием.

Человек, который должен иметь определенные характеристики, не может появиться на свет от случайных родителей. Мироздание обеспечит целый ряд условий, чтобы родители встретились и нашли друг друга. Даже подбор донора при ЭКО происходит не по медицинским показателям, как мы все думаем, а исключительно под контролем мироздания. Рожденный на свет человек является уникальным и незаменимым пазлом общей картины мира, в которой каждый из нас — часть Вселенной.

А пока передо мной стояла непростая задача: найти хороших докторов. Не просто хороших медицинских специалистов, а докторов с высоким уровнем интуиции и с энергией, благоприятной для нашего ребенка. Пока ребенок был без имени. Вернее, сначала я назвал его по месту приобретения — когда Алена забеременела, мы были в Провансе, и я стал называть малыша Провансом.

Примерно через полгода мы задумались над именем, мы перебрали массу вариантов, и, хоть я и знал, что имя буду давать в момент рождения, все-таки просматривал справочники имен. Больше всех других имен мне понравилось имя Бальтазар, оно мне и сейчас нравится. Я нашел его не в справочнике, оно само пришло мне в голову, и практически до самых родов ребенок был Бальтазаром.

Я выбирал из множества врачей и остановился на трех. Доктора с недоумением смотрели на Алену, когда она выясняла даты их рождения, а я, узнав даты и имена, включал всю свою интуицию и анализировал их по китайским трактатам. И в итоге мне удалось найти тех, кто нужен. Это уникальные врачи, и я рад, что дружу с ними до сих пор. Они помогли появиться на свет тысячам детей, и слава Богу, что они на своем месте.

Алена очень волновалась и, конечно же, хотела, чтобы я был рядом с ней в такой ответственный момент. Мы приехали в роддом, и оказалось, что забыли какие-то салфетки. Пока Алена ожидала в приемном покое, я пошел в магазин и по дороге попал в дождь. Это был не просто дождь, это был тропический ливень, которых в Москве ну просто не бывает! Теплый и мощный! Вода обрушилась на меня таким стремительным потоком, что я, привыкший на все явления природы, особенно необычные, смотреть с точки зрения знаков, понял, что родится сильный парень, мощный, как энергия воды, и, скорее всего, у него будут голубые глаза.

Кстати, Алена очень хотела, чтобы у ребенка были голубые глаза, но с точки зрения генетики это было проблематично, потому что ген голубых глаз — рецессивный. У Алены в роду все кареглазые, а у меня дед по матери и бабушка по отцу тоже имели карие глаза. Но, видимо, Алена так сильно этого хотела, а тут еще такой ливень…

Подошло время родов, и меня было не отличить от врачей: в халате, в маске, я шел по коридорам, и женщины периодически обращались ко мне: «Доктор, доктор…» А я объяснял им, что я не доктор, я просто одет как доктор, потому что иду на роды своего сына. Врачи, окружавшие Алену, смотрели на меня внимательно: «Как вы себя чувствуете? Вам может стать плохо, если волнуетесь, — лучше не присутствовать, и вот, выпейте таблеточку успокоительного». Я успокоил докторов, ведь это были не первые роды в моей жизни.

Все прошло замечательно: голубоглазый крепкий мальчик смотрел на меня серьезно и изучающе.

Ольга Васильевна, заведующая детским отделением, записывая на бирке параметры младенца, спросила его имя. «А имени пока нет, сейчас будем называть». Я перечислял русские и иностранные имена и смотрел на этого крепыша, замечая его реакцию. На Владимира он отозвался чихом, я продолжал зачитывать список, но далее не последовало никакой реакции. Я начал перечислять еще раз, и при имени Владимир он чихнул еще раз. Когда на третий раз он уставился на меня с таким выражением, что, мол, холодно и я два раза уже дал понять, Ольга Васильевна посмотрела на меня:

— Вовка, что ли?

— Да, Владимир. Владимир Александрович.

— Так и запишем.

Через год, сидя в кресле в нашей гостиной и наблюдая, как Вовка ползает по ковру, я вдруг вспомнил свой сон, который видел в январе 2009 года. Тот же ковер и тот же мальчик. Помню, я тогда еще подумал, к чему мне этот сон. А оказалось, он просто перенес меня на четыре года вперед, на несколько секунд открыв будущее.

Я смотрел на этого мальчика, моего младшего сына, и был несказанно рад его появлению на свет. Вовка иногда пугал Алену своим серьезным взглядом. Однажды Алена сказала, что ей порой кажется, что Вовка что-то знает. «Знает больше, чем я, взрослый человек! И он — необыкновенный». Я улыбался ей в ответ. Теперь ты будешь сумасшедшая мать и станешь понимать тех женщин, которые носятся со своими детьми, готовые с утра до ночи говорить об их успехах.

— Но он правда лучший! — Алена в этом ни чуть не сомневалась.

— Да, конечно же, лучший! И теперь ты будешь вздрагивать при каждом шорохе, а когда повзрослеет, будешь смотреть на телефон и ждать от него звонка, и теперь вся твоя жизнь — это время, когда он рядом и когда его нет. Перманентный режим ожидания, тревоги и удивительного счастья, которое могут дать только дети. И радость от их успехов и горечь от неудач.

Наши дети нам ничего не должны, они нам и так многое дают, а наша задача — не сломать взрослой логикой их интуицию и очень внимательно наблюдать за ее проявлениями и поощрять успехи. Интуиция у Вовки есть, и довольно высокая.

Я понимал, что Вовка слышит мои мысли, и поэтому я проговаривал слова про себя, а потом говорил их вслух. Мой эксперимент был удачным. Однажды я посадил его в кресло, обложив подушками, и сказал, глядя ему в глаза: «Вовка, скажи „папа“». И он сказал! По слогам — «па-па».

— Не может быть, — Алена не поверила. — Этого не может быть!

— Как видишь, может, если связывать мысль и речь, он поймет, что и как делать.

И я опять попросил его сказать «папа» — и он повторил. Ему тогда было всего четыре месяца. А позже, когда он стал ходить, вернее, бегать, ибо ходить для него — состояние некомфортное, он за десять-пятнадцать минут до прихода Алены подбегал к двери и торжественно объявлял «мама». И мама приходила. Причем каждый раз это было совершенно разное время.

Я мысленно хвалил его за успехи, не считая это простым совпадением. Сейчас главное — не растерять интуицию, ту, что дана от рождения. Вспоминая ту встречу со всеми своими предками, когда мне удалось заглянуть за грань бытия, я думал, глядя на Вовку: интересно, чей ген одного из тысяч предков будет звучать в его жизни как основной камертон, какой из предков проявит свои качества и задаст характеристики, по которым будет строиться его жизнь?

42.

Я никогда не собирался изучать историю в объеме, превышающем школьный, пока не попал в Тулузу. Естественно, мне было любопытно узнать, как все было на самом деле, но мое любопытство ограничивалось предположениями, и моя интуиция не была задействована. Мне в то время казалось, что достаточно обладать верой в Бога и не искать еще более понятных символов его присутствия на земле. Те озарения, которые я периодически получаю, та информация, которая приходит ко мне во сне, — только от Него, в этом моя уверенность была максимальной, и мне этого было достаточно.

Но сопротивление, которое жители юга Франции оказали официальной доктрине Церкви, заставило меня пересмотреть свое отношение к истории, и я решил часть своего времени посвятить ее изучению. Оказывается, я многого не знал.

Я обнаруживал все новые и новые для себя вещи, о которых никогда бы и не узнал, не посетив Тулузу. Например, я всегда думал, что Рим — это центр католицизма и был им всегда, но, изучая историю средних веков, я обнаружил, что в средние века штаб-квартира папы римского была в Авиньоне, в городе на юге Франции, и причины перемещения престола из Рима во Францию объясняются политическими, вполне объективными моментами. Но по моим ощущениям, это было связано с необходимостью присутствия главных иерархов Церкви максимально близко к территории, на которой когда-то пылал огонь инквизиции, ну хотя бы для контроля и быстрого реагирования на изменение ситуации и принятия решительных мер для искоренения ереси, которая в свое время захватила не какую-то малую часть населения, а огромный регион, где и бедные, и богатые по каким-то причинам, оставаясь христианами, не поддерживали доктрину Рима. Меня поразил сам факт крестового похода против христиан.

Шаг за шагом, по мере того как я собирал информацию об этой земле, у меня складывалась картина мира того периода, в основе которой лежала легенда о том, что Мария Магдалина какое-то время жила и умерла во Франции. Я все время думал, что история уже написана до меня и нет никакого смысла в ней что-то еще искать, но, исходя из многочисленных исторических версий и споров, я решил, что, поскольку официальная история не является достоверной в принципе, я буду основываться не на истории, а на собственной интуиции, доверяя исключительно ей. История мне нужна была лишь для того, чтобы объема моих знаний было достаточно для интерпретации своих ощущений. Мироздание никогда не дает информации больше, чем существующий объем знаний, а поскольку в плане истории у меня, как оказалось, был существенный пробел, необходимость в ее изучении была очевидной.

Примерно год у меня ушел на чтение любой информации, которая была в книгах и в сети Интернет. Какие-то вещи я отметал однозначно как недостоверные, а какие-то оставлял в своей памяти — те, где при прочтении интуитивно понимал, что это правда. Все даты событий я сверял с китайским календарем, и он мне существенно помог в трактовке тех или иных событий.

Однажды на консультацию ко мне пришла женщина, она пришла с вопросом, связанным с ее дочерью, с которой она не могла найти общий язык. Просматривая ситуацию, я сказал, что у дочери очень высокая способность к изучению иностранных языков и эта составляющая перешла ей от матери.

— Какой язык кроме русского вы знаете?

— Я профессиональный переводчик, перевожу с арамейского на русский и английский.

Я своим ушам не поверил. Передо мной сидел человек, знающий древнейший язык, язык, на котором написана Библия, язык на котором, как утверждают многочисленные источники, говорил Иисус.

— Вы знаете, меня очень интересует история, но у меня есть большое сомнение в том, что она переведена правильно. А вы как считаете?

Женщина тяжело вздохнула.

— Я до сих пор работаю в этом направлении и перевожу тексты, в том числе и по заказу Церкви. И некоторые мои переводы, которые я делаю с большой ответственностью, отвергаются заказчиком без объяснения причин, и я, как специалист, очень переживаю за это. Даже сейчас идет искажение истории, я пытаюсь бороться, но моя борьба не на равных. Я всего лишь переводчик и не могу влиять на ситуацию.

— Но как же не можете? Вы можете опубликовать свои переводы.

— Но тогда я останусь без работы, а мне надо на что-то дочь растить.

— И что, вы переводите как надо?

— Нет, я даю им свой перевод, а дальше они уж сами его трактуют по-своему и не всегда правильно.

— А вы можете мне дать ваш перевод и тот, который уже опубликован?

Женщина вся съежилась.

— Нет, нет, не просите, я боюсь остаться без работы.

Я не стал настаивать на своем предложении, хотя мне было очень интересно узнать, с чем именно не согласен заказчик, с какой трактовкой. Мне не терпелось услышать этот древний язык.

— А скажите что-нибудь на арамейском?

Она произнесла несколько слов. Я слышал этот язык впервые. И слушал себя. Реакции нет. Ни жарко, ни холодно. Язык и язык. Я надеялся, что услышу в нем что-то знакомое. Однажды я говорил во сне, говорил вслух, и утром мама мне об этом сказала. «Ты с кем-то спорил, но язык твой был мне непонятен. Ты повторял какие-то слова, ты что-то доказывал. В твоих словах был какой-то смысл, но я ничего не поняла». Тогда я не вспомнил этот свой сон и ночной разговор, свидетелем которого невольно стала моя мама, но спустя много лет я увидел во сне дьявола, идущего с запада на восток, и в состоянии паники и ужаса я молился на совершенно непонятном мне языке. Я понимал каждое слово своей молитвы, но что это был за язык, я не знаю. После визита переводчика с арамейского я уверен только в том, что это был не арамейский, и пока ни один из других языков, которые я могу определить по звучанию, не понимая их.

Чем больше я читал историю, тем больше у меня возникало вопросов. Количество моих «почему» нарастало как снежный ком. Почему люди, роль которых нести истину, пытаются ее искажать, и даже сейчас, в современном мире, перевод, не соответствующий каким-то догматическим установкам, не принимается как правильный? Эх, знать бы языки, было бы легче разобраться, в чем здесь тайна.

Я опять и опять вспоминал Тулузу. Там тоже есть тайна, и она не связана исключительно с еретиками, она связана с уничтожением какой-то информации, подрывающей религию. Иначе зачем же столько крови?

И еще меня смущал признак, по которому инквизиторы изначально определяли свой или чужой: светловолосые женщины со светлыми глазами и с ростом выше среднего. Почему они решили, что именно так выглядит ведьма? Почему такой жестокий метод казни? Почему, даже когда они каялись под пытками, их все равно уничтожали, и единственным поощрением покаяния была смерть не в огне, а в петле, но всегда однозначно — смерть? Почему они не остановились, а распространили уничтожение на всех, кто по навету был объявлен ведьмой и связан с нечистой силой?

Почему на вопрос крестоносца, заданный при штурме Безье, как разобраться, кто еретик, а кто нет, ответ был ужасен: «Убивайте всех, Господь разберется, кто свой»? И они убивали. Убили весь город, все двадцать тысяч жителей. И это только в одном городе, а всего, по разным источникам, инквизицией уничтожено до полутора миллионов.

Тайна, за которую убивают без разбора, не может быть основана на догме. Никто не пытался переубедить этих людей — их просто уничтожали. Людей, верящих в Бога и Христа, уничтожали, попирая принцип собственной веры, одним из постулатов которой был закон «не убий».

Изучая эту историю массовых убийств, я невольно стал сравнивать самые страшные моменты жизни человечества. Гитлер уничтожал людей тоже по определенным признакам, и в основе его выбора была национальность. А так ли это на самом деле? Что, если все эти гонения направлены против конкретных людей, затерявшихся среди человечества.

Все организаторы массовых репрессий были близки к мистике. В Советской России в тяжелейшее время под патронажем НКВД была снаряжена экспедиция в Тибет. Немецкая спецслужба СС также отправляла туда людей и даже создала целый отдел по поиску какой-то информации. Но какой информации? Желание обрести господство — это очень на поверхности, и оно может быть достигнуто активными боевыми действиями, но они все искали нечто большее. Что это за информация и что они все искали, переламывая и уничтожая миллионы людей? Мне почему-то кажется, что это звенья одной цепи. И одной интуиции мне может оказаться недостаточно.

43.

Наконец-то я нашел время снова приехать в Стамбул. План мой был предельно ясен: Айя-София — обязательна для посещения, далее — Голубая мечеть, Галатская башня — пункт номер три и четвертая точка на карте — это гора Бейкоз. Компания со мной поехала веселая. К нам с Аленой присоединились друзья: Вера, Катя и Митя.

В назначенное время мы пошли в храм. Я был в предвкушении. Я не говорил своим спутникам, что, кроме обычного путешествия, они мне нужны еще и как участники эксперимента. А эксперимент заключался в следующем. Я помню резкое изменение в ощущениях, когда стоял в центре храма под куполом. Теперь мне нужно было проверить это на своих друзьях — ведь не будешь же просить случайных прохожих, хотя я был готов и к этому.

Сначала я решил все попробовать на себе. Да. Есть ощущение полета, я бы даже сказал, оно похоже на то, что чувствуешь в лифте, когда он резко опускается вниз. Оно очень кратковременно. Но сейчас, когда я знал, что так будет, эффект был несколько слабее, потому что я все-таки контролировал ситуацию. Первым участником испытаний стала Алена. Я поставил ее под куполом, ничего не объясняя.

— Просто закрой глаза и думай о хорошем.

Она, скорее всего, решила, что это место для загадывания желаний. Через две-три секунды Алену повело по часовой стрелке, и она, испугавшись, открыла глаза.

— Ой, что-то у меня голова закружилась. Или мне показалось?

— Нет, тебе не показалось, ты действительно закружилась, но не голова, а все тело.

— Почему?

— Потом объясню, а пока пойдем искать Веру. Надо с ней попробовать повторить, только ты ничего ей не говори.

Мы нашли Веру и привели ее на точку. Веру пришлось ловить — она довольно сильно отклонилась от вертикальной оси. Ее основательно крутануло. «Что это было? Я чуть не упала!» Так, теперь нужны Катя и Митя. Нет, пожалуй, Катю ставить на точку не стоит, она беременна, и я не знаю, как это будет на нее влиять. Эксперимент показал, что все мои друзья испытывают одно и то же.

Что это? Я думаю, что архитекторы этого храма не только знали архитектуру, но и понимали, как геометрия зданий влияет на человека через изменение гравитации. Айя-София — объект, спроектированный и построенный таким образом, чтобы в центре храма, строго под куполом, гравитация была минимальной. Я думаю, что все эти спонтанные движения-качания вызваны как раз ее изменением.

Так бывает у детей в период бурного роста, когда у них резко изменяется центр тяжести. У подростков меняется походка, а взрослые, которые не понимают особенности детской физиологии, часто делают замечания. Даже целый термин есть — «разболтанный». А все объясняется просто: ребенок из-за быстрого роста просто не успевает адаптироваться к новому расположению центра тяжести своего тела, вот автономная система и поддерживает равновесие, включая то одну, то другую группу мышц. То же самое произошло и со всеми, кто стоял под центром купола. Неуловимое изменение центра тяжести, вызванное снижением уровня гравитации, привело к тому, что они стали непроизвольно раскачиваться.

На вопрос «а для чего это сделано?» я указал на квадратный камень, вставленный в основную плиту пола. В прошлом году гид сказал, что в этом месте стоял трон императора. Я так полагаю, что стоял он в этой точке исключительно из соображений важности самого места. Я думаю, что трон даже не сдвигали с этого места и, кроме императора, никто не мог его занять. Интуиция, так необходимая для жизни, нужна всем, и императорам в том числе. Я думаю, древние зодчие понимали толк в своей работе и император владел информацией. Теперь вы понимаете, почему существуют каноны при строительстве церквей?

Молиться нужно в правильном храме с точки зрения геометрии, чем ниже гравитация, тем выше интуиция, тем легче твои желания и мысли. Многие говорят, что в храмах ощущают какую-то благодать. У благодати несколько причин, и одна из них — ощущение снижения гравитации, ощущение полета, на физическом уровне человеку становится легче, и это положительно влияет на его веру, на качество просьбы-молитвы. Храм, который не имеет этих свойств, никогда не будет иметь такой характеристики, принятой у верующих, как намоленность. Потому что молящихся там немного. Я считаю, что Айя-София — образец такого строительства.

И еще у меня есть одно соображение. Я неоднократно по телевидению видел, как иудеи молятся в Иерусалиме у Стены Плача. При молитве иудеи раскачиваются, и объясняют этот обычай так: он зародился в Средние века, и считается, что так молящемуся проще отвлечься от всего земного. Но, наблюдая раскачивание людей в центре Айя-Софии, а они раскачивались без всякой молитвы, произвольно, я подумал, что, вероятно, этот обычай происходит как раз отсюда, от этого самого места, и причина далеко не в том, что раскачивание помогает отвлечься от реальности мира.

Следующим объектом была Голубая мечеть. Она находилась рядом с храмом и была открыта для посетителей. Она была великолепной. Разувшись у входа, я направился по мягкому ковру в самый центр мечети и сел на пол. Надо мной был купол, такой же геометрии, как и в Айя-Софии, и эффект был такой же — я ощущал его даже сидя. Форма является определяющей. Я думаю, недаром многие мечети скопировали купол собора мудрости Бога. Так переводится Айя-София. Мудрость Бога — это и есть интуиция. Когда нам говорят, что мы созданы по образу и подобию Творца, то прежде всего наше подобие с Ним — это подобие в интуиции.

На следующий день к нашей компании присоединилась Маша — высокая светловолосая девушка с серо-зелеными глазами. Она была знакома с Верой. Я представился, назвав себя по имени, представил Алену и своих спутников. «Александр, мы знакомимся с вами в третий раз». Маша посмотрела на меня и Алену и перечислила наши встречи в Москве. Я стоял в полном смущении и никак не мог вспомнить ни одной из них. Ну как же так?! Я действительно ее не помнил и, глядя на Алену, понимал, что и она не может вспомнить! Очень странно… Ну да ладно, стало быть, просто было не время.

Поскольку четкой программы не было, компания наша разошлась по интересам: Алена с Верой в одну сторону, Катя с Митей — в другую, а мы с Марией отправились осматривать Галатскую башню. Путь был неблизкий и все время надо было подниматься в гору. Подойдя к башне, мы присели в кафе и заказали турецкий чай. Если в Турции заказать у официанта чай, то тебе принесут какой-нибудь пакетик с пылью индийских дорог, но если сказать «турецкий чай», то приносят самый настоящий чай, хорошо заваренный и очень вкусный.

Мы рассматривали башню. Она внушала уважение своими размерами. Немного отдохнув, мы пошли на осмотр достопримечательности. Оказалось, что Мария неплохо владеет английским языком — она переводила все, что говорил гид для какой-то группы. Из перевода я понял, что у башни богатейшая история и называлась она раньше не иначе как башня Иисуса. Галатской ее назвали уже при Османской империи. Гид рассказал, что с этой башни совершен первый в мире полет. Стамбульский мастер сконструировал крылья и, закрепив их на себе, прыгнул с башни и перелетел через Босфор. Как много в этом мире того, чего я не знаю. Гора Иисуса, башня Иисуса, собор Божьей мудрости. Да что же это за место такое — Стамбул?!

Мои размышления прервал шум открывающихся дверей лифта: все для туристов — наверх идет лифт. Мы поднялись в лифте и вышли на площадку. Оказалось, что лифт все же не доходит до самого верха: конструкция башни не позволила этого сделать, и последние три этажа мы прошли пешком по винтовой лестнице. Первый пролет дался легко, но на втором я вдруг забуксовал, идти стало очень тяжело, я еще не понял, что произошло, но ноги как будто свинцом налились. Дотянуть бы до следующего пролета — поднимусь и отдохну. Но отдыхать не пришлось: пока я поднимался на площадку, все прошло, как не бывало.

С вершины открывался великолепный вид на Босфор и Стамбул. Мы обошли башню по кругу, сделали несколько фотографий и пошли вниз. И опять на участке между третьим и вторым пролетом меня накрыла свинцовая тяжесть. Я посмотрел на Марию, ей тоже было тяжело. Дойдя до первого пролета я практически мгновенно пришел в норму. Я остановился и стал наблюдать за людьми. Вот они выходят из лифта и лихо поднимаются наверх, но, как только они попадают на площадку между вторым и третьим пролетом, движения их резко замедляются и практически все берутся за поручни. Дальше картина резко меняется — люди увеличивают скорость. Такая же картина и при движении вниз.

— Что, Маша, заметила?

— Мне самой было как-то тяжело на этом участке. А что это?

— Это гравитация. Это ее локальный рост. Он незначительный, но этого достаточно, чтобы прочувствовать.

Мы вышли из башни и направились к месту встречи с остальными участниками маленькой экспедиции. Я чувствовал, что Мария хочет меня о чем-то спросить, но стесняется. Я остановился.

— Что ты хочешь спросить?

— Вы знаете, у меня только один вопрос. Вернее, конечно, он не один, но этот сейчас самый важный. У меня очень тяжело больна мама.

— Имя и дата рождения?

Она назвала имя и дату. Я прямо на ходу погрузился в транс, на полсекунды, не более.

— Маша, скажи, не так давно ей ставили импланты металлические?

— Да, ставили.

Я не стал скрывать, что перспективы весьма печальные. Процесс зашел слишком далеко. Позже я объяснил Марии, что есть люди, которым категорически нельзя вставлять металлические импланты или любые другие конструкции из металла. Они вызовут сильнейшую реакцию организма. Кто-то может всю жизнь носить осколок в теле, а кого-то этот осколок, при видимой нейтральности ранения, не оставит на земле. Мария была расстроена. Я не знаю, почему я решил сказать ей, что там, наверху, вопрос уже решен.

— У меня есть еще один вопрос, но, наверное, я к вам приду в Москве, потому что он непростой.

— Да, конечно, в Москве встретимся, — сказал я, а сам подумал, что кто бы ко мне ни приходил, каждый думал, что его вопрос непростой и самый важный в жизни. Я и предположить не мог, чем обернется это знакомство с Марией в третий раз, и где — в Стамбуле!

Следующим и заключительным пунктом была гора Бейкоз. Мы отправились на Бейкоз с утра, маршрут состоял из двух этапов по Босфору на водном такси, далее на обычном. Водное такси подошло прямо к причалу отеля, и мы всей компанией отправились на азиатскую сторону пролива. Время в пути тридцать минут. Договорившись с капитаном о времени обратного отхода, мы поймали такси и поехали на гору. Дорога была весьма живописной. Сосновый лес, синее небо и только забор какой-то военной базы мешал всей этой красоте. То, что это военная база, я вычислил по многочисленным рубежам охраны: то там, то здесь висели видеокамеры и датчики движения.

Прибыв к подножию Бейкоза, мы остановились у небольшого рынка. Там было множество лавочек, торговавших сувенирами, игрушками, цветами, и тут я услышал русскую, с сильным акцентом, речь. Это турки-месхетинцы бойко торговали свежеиспеченными лепешками. Когда-то они были нашими соотечественниками, но вот судьба их забросила сюда. Мои спутники решили перекусить, а мне пришлось отказаться, у меня впереди была важная работа.

Я не знал, что я там должен увидеть или почувствовать. Поднимусь, а там видно будет. Я много читал про это место. Меня уже невозможно было застать врасплох так, как это вышло в Тулузе, и, прежде чем положить руки на могилу, я посмотрел, что будет.

Накануне, перед сном, я задал вопрос: «Кто он?» С каким человеком будет связано это место? Мне была нужна идентификация. Мне был нужен признак. И я его получил. Информация во сне никогда не дается в объеме, превышающем объем моих знаний, — именно поэтому я перечитал все возможное про всех героев стамбульских легенд. И я получил ответ. Я увидел своих бабушку и дедушку по материнской линии. Они мелькнули в моем сне на какую-то долю секунды, но мне было более чем достаточно. Я понял, для чего они приходили. Бабушка моя была рождена седьмого января, а дед — девятнадцатого. Рождество и Крещение.

Я понимаю, что я не исследователь-археолог, я признаю, что я не историк. Но я себе верю.

Совершенно не призываю никого менять свои приоритеты и принципы и тем более не рекламирую это место как место истинной ценности. Истинная ценность — это вы сами. «Не сотвори себе кумира». Сказал не я. Сказал Он!

Гора Бейкоз — это место паломничества турецких суфиев. По их легендам Юша — это Иисус Навин, ученик и соратник Моисея. Ни в одном источнике информации я не нашел, каким образом Моисей и его ученик оказались в Стамбуле. Сами турки тоже ничего не могли мне пояснить. Одна из турецких легенд говорит, что Юша был знаменосцем у Мусы. Он в составе армии пришел к горе Бейкоз и участвовал в большом сражении. С кем было сражение и кто победил — неизвестно. На месте, где теперь находится могила, Юша был убит.

Еще один вариант легенды гласит, что он был убит не здесь, а на той стороне пролива, на европейской территории, и его тело было разделено на две части. Нижняя часть тела осталась на берегу моря, а верхняя часть, выше талии, передвигаясь на руках, взобралась на это самое место, которое я и хочу посетить. Так как часть тела Юши выше талии была очень длинной, то и могила получилась в семнадцать метров длиной.

Античная история говорит о том, что здесь был каменный стол для жертвоприношений Зевсу. При императоре Юстиниане на его месте была построена церковь, и ее остатки сохранялись до девятнадцатого века. Османы снесли руины и построили то, что я сейчас увижу.

Могила по периметру была обнесена каменной стеной, в которой были окна, вход и выход. Обойти вокруг нее полностью не представлялось возможным, так как участок между входом и выходом был отгорожен металлической решеткой. Внутри — плоское прямоугольное возвышение, огороженное камнем. По всему периметру над камнем установлена чугунная решетка. Внутри ограды вся земля засажена цветами и травой, а в противоположных концах могилы угадывались два возвышения. По информации из книг и фотографий я знал, что там имеются два камня, напоминающие мельничные жернова. К одному из камней прикреплен шест. Навершие шеста мне напомнило копье, на котором была какая-то надпись на арабском языке.

Отправляясь на гору, я переживал, что не смогу положить руки на могилу, так как в источниках было указано, что вдобавок к чугунному ограждению все затянуто еще и мелкой металлической сеткой, чтобы паломники не растащили землю. К слову, паломников было очень много. Они шли и шли, было очень много женщин, стук их каблучков изрядно мне мешал, и я никак не мог сосредоточиться. К моей радости, мелкой сетки не оказалось, и у меня была возможность спокойно просунуть кисти рук внутрь периметра, но торопиться я не стал. Место уж очень необычное, и мне не хотелось испытать шок.

Я встал по центру чугунной решетки и взялся обеими руками за ограждение. Решетка вибрировала в руках. Она гудела и вибрировала заметной дрожью, как гудит металл на трансформаторной будке. Я опустился на колени и аккуратно положил руки на траву. Я закрыл глаза и прошептал: «Господи, прошу тебя, сделай так, чтобы мне сейчас никто не мешал». Через какое-то мгновение стало так тихо, что я услышал жужжание пчелы. Я поднял глаза — никого! И все время, пока мои руки лежали на могиле, ни одна живая душа не прошла внутрь периметра.

Закрыв глаза, я, как обычно, собирался раскручивать темноту против часовой стрелки, но уже через несколько секунд передо мной возник белый столб света, он исходил из самого центра и был устремлен к небу. Свет был настолько плотный, что напоминал туман, сгущенный до состояния молока. И все. Это было так неожиданно и так сильно, что, открыв глаза, я все еще продолжал видеть этот столб из белого света, как будто он зафиксировался на сетчатке моих глаз.

Я поднялся с колен, и тут же начался хоровод паломников, которые шли и шли, на ходу читая молитвы и кланяясь могиле.

Сегодня я закажу сон. Мне надо знать, чей свет я видел.

Я вышел за периметр и увидел, что вплотную к стене примыкает древнее мусульманское кладбище. Вот здесь у меня был определенный провал в знаниях. Те мусульманские кладбища, на которых мне довелось бывать, имели на могилах вертикально установленные прямоугольные каменные плиты, на которых была и арабская вязь и изображение полумесяца. Здесь же, кроме традиционных плит, были установлены и каменные колонны тридцати-сорока сантиметров в диаметре, высотой в полтора метра, и на многих из них я разглядел один и тот же рисунок, выбитый в камне: изображение вертикального шеста растительного происхождения с отходящими в сторону стилизованными срезанными ветками, от которых остались лишь основания. Изображение, очень похожее на посох.

После экскурсии мы присели в кафе и стали делиться впечатлениями. Я молчал — мне важно было услышать моих друзей, которым не ставилась задача что-то специально исследовать. Дмитрий сказал, что он слышал некий гул, когда взялся руками за решетку, Марии внезапно стало холодно, до озноба, Вера была разочарована тем, что ничего особенного не почувствовала, и ей было несколько досадно. Алена в этот раз не участвовала в эксперименте.

Оказывается, она пыталась сфотографировать меня за работой, но ей все время мешали люди. И вдруг она вспомнила, что в какой-то момент людской поток прекратился и ей удалось сделать снимки. Катя не заходила внутрь периметра, но она случайно забрела на старинное кладбище, и у нее мгновенно разболелась голова.

Мое же состояние было комфортным. Перед глазами еще был тот белый столб света — так бывает, когда долго смотришь на какой-то яркий предмет и он еще некоторое время дает фантомное изображение. Я показал на противоположную сторону. «Вон там, на той стороне пролива, есть еще могилы. Они тоже большие, но меньше, чем та, которую мы с вами сейчас наблюдали. По ним нет никаких сведений, ни в доступных источниках информации, ни у местных жителей.»

Назад мы отправились тем же маршрутом. Азиатская сторона Босфора имела явные отличия: и архитектура, и природа были другими. Люди были спокойные и медленные, скорость транспорта была заметно ниже, и никто из водителей резко не ускорялся и не тормозил.

Наблюдая эту картину, я вспомнил один случай, который произошел во время первой поездки в Стамбул. После посещения музея, где я увидел посох, нам нужно было ехать на другой конец города и ехать нужно было на такси. Пока мы с Аленой фотографировали чаек, которые в Стамбуле совершенно не боятся людей и готовы сесть тебе на руку, только протяни, мои друзья дошли до проезжей части и в течение пяти минут пытались остановить такси. Такси в Стамбуле много, очень много, и на этом участке дороги их было много, но ни один из водителей даже и не думал останавливаться.

— Ребята, вы неправильно их останавливаете. Жест должен быть командный, а у вас это выглядит как просьба. Вот смотрите. Какую машину останавливаем?

Мне показали автомобиль, следующий во втором ряду. Я еще не видел лица водителя такси, я просто смотрел в его сторону. Резко вскинув руку, я направил указательный палец в сторону машины и со словом «Ты!» резко опустил руку вниз, указывая на асфальт под моими ногами. Водитель резко перестроился и подъехал к нам.

— Не может быть! Нет, это случайность.

Я извинился перед водителем и отпустил его.

— Случайность? Смотрите внимательно, в четвертом ряду автомобиль видите? Вот его я и приглашу.

Точно так же я жестко ткнул пальцем в сторону намеченной машины и потом указал этим же пальцем на асфальт. Движения мои были четкими, быстрыми и даже резкими. Водитель, несмотря на сигналы других участников движения, подъехал из четвертого ряда и остановился в указанной точке. Мы сели в машину и поехали.

— Как вы это делаете? Это невероятно.

— Все просто, друзья мои, все просто. Турция — это бывшая империя с тоталитарной властью. Вспомните гида в музее: он через слово говорил о прошлом величии Османской империи, и куда бы мы ни пришли, то здесь, то там подчеркивается былая слава. Турки очень скучают по тем временам. Я просто понял это и поэтому вел себя не как проситель, а как начальник, отдающий приказ, и они его выполнили. Империя — это приказ, и никакого волшебства! Вы думаете, что мы, в России, далеко ушли? Ничего подобного! Многие из нас еще помнят мощь и силу Советского Союза и тоже готовы выполнять приказы, так что по ментальности мы в Турции практически как у себя дома.

Это свойство, кстати, на мой взгляд, и способствовало сохранению христианской символики в Айя-Софии. Древнейшие фрески и изображения крестов сохранились в большом количестве. Турки — люди верующие и не пошли на уничтожение христианских символов, но, кроме этого, был приказ не трогать, а приказы они выполняют. Путешествуя по Стамбулу, совершая морские прогулки по Босфору, я думал о вещем Олеге. Щит-то он, конечно, прибил к вратам Царьграда, и о торговле договорился, но при всей моей миролюбивости мне бы хотелось, чтобы князь объединил эти территории с Русью. Но история уже свершилась, и сожаление мое было непродуктивным. Значит, так надо было тому не случиться.

Я посмотрел в китайский календарь: день благоприятный, гравитация низкая. Надо смотреть сон. Ритуал мой годами отработан: Алена уже в курсе, что говорить я с ней в этот вечер не буду. Но я так ничего и не увидел. Сон мой прервался призывом муэдзина к молитве, но вместо молитвы я сказал совсем другие слова. Позже, как только мы вернулись в Москву, сон пришел. Я оказался опять в своем детстве, в той огромной комнате в доме у деда, мне опять шесть лет, и я смотрю на портрет Иисуса, а он смотрит на меня и улыбается.

Результаты поездки меня удовлетворили: подтверждение изменения гравитационной составляющей для меня было очевидным, как было очевидным и то, что в мире есть тысячи таких зданий, которые могут влиять таким же образом. Я поставил себе задачу найти такие здания и по возможности посетить их.

Сон, в котором я увидел картину с Иисусом, меня озадачил. Логика всей жизни говорила, что этого не может быть. Историки веками копили информацию, она не может быть недостоверной. Но для себя я решил так: раз я его увидел, значит, это место с ним связано непосредственно. Где он был тридцать лет? Ни один историк не знает! Нет сведений! Где храм Соломона? Нет сведений! Есть только догадки и домыслы. И еще огромное количество поддельных артефактов и искажений в Евангелиях. Море нестыковок! И моя версия, основанная на интуиции, тоже имеет право на существование. Я убедил себя в этом, успокоился и принялся за работу.

44.

Мария написала мне письмо. В нем она спрашивала, может ли она прийти ко мне на консультацию. Я назначил ей время, и вот оно наступило. Мария принесла торт. «Маша, спасибо, но торт позже, после того как поговорим, а то вдруг мне что-то смотреть придется, а после сладкого мне будет лень. Давай, рассказывай».

Мы познакомились с Машей в третий раз, по-настоящему, в Стамбуле. Первые два знакомства в Москве были стерты не только из моей памяти, но даже из памяти Алены. Два раза в зачет не пошли. Да и у меня на тот момент не было ни понимания, ни информации, и, скорее всего, обратись Мария ко мне в тот момент, я бы ее сон не разгадал. А вот стамбульское знакомство было своевременным. И многие, многие события, предшествовавшие сегодняшнему дню, выстроились у меня в один понятный и ясный маршрут, начавшийся в моем далеком детстве и через Москву и Стамбул приведший меня в Тулузу, на Place Roder Salendro.

— Маша ты видишь вещие сны?

— Да, вижу и довольно часто.

— А есть ли какое-то предчувствие перед тем, как увидишь сон?

— Нет, такого не припомню. Но вот перед этим моим ужасом — всегда есть. Я всегда знаю, что увижу это снова. Я долго сопротивляюсь и не хочу засыпать, а потом наступает какой-то момент, я сдаюсь, говорю «будь что будет» и опять попадаю в этот кошмар.

— Ты чувствуешь, когда говорят неправду?

— Да, это очень просто: если истина, то холод по спине, по рукам. Стопроцентный индикатор. Я ему верю.

— Ну, включай свой индикатор. Я кое-что тебе расскажу. — Я закурил сигарету. — У нас с тобой впереди много дел. Так что готовься к командировке. Ты никогда не была в Тулузе, девушка, убегающая во сне по улицам этого города, — это не ты. Мы так устроены, сотканы из миллионов генов наших предков, и активизация их происходит в зависимости от жизни предыдущих поколений. У тебя активен ген потомков Христа и Марии Магдалины.

Я сказал это очень тихо и очень обыденно, и, наверное, эта обыденность не сразу включила ее индикатор. Я смотрел на нее, а она на меня. И через секунду ее заколотило у меня на глазах.

— Аххх, как ошпарило! Этого не может быть! Кто я — и кто они!

— Марьям, вот ты сейчас говоришь и не веришь в свои слова. Индикатор у тебя правильный. Ты не замечала странные вещи? Ты очень боишься людей и сама не понимаешь причину этого страха. С тобой часто случается такое явление, как дежавю, ты ощущаешь себя несколько старше своих лет, ты видишь сны, которые сбываются; тебе звонят люди, когда ты о них думаешь; мужчины, которые к тебе хорошо относятся, успешны и нравятся людям, но тут же теряют эти свойства, если вы в конфликте; те, кто тебя обижает, позже всегда имеют бледный вид. И вернусь к страху. Только воля позволяет тебе держать лицо и не показывать его. Это не твой страх, это страх той, которая скрылась в фонтане. Езжай в Тулузу. Да, и не забудь сегодня поставить у кровати стакан с водой. Будет сон, смотри его внимательно.

Она позвонила на следующий день, ей опять приснился тот же сон, но сейчас она уже видела себя со стороны, сверху. Она видела своих преследователей, она видела улицы города и фонтан, к которому бежала девушка, как две капли воды похожая на нее. Маше не было страшно. День сурка, это страшное кино длиною в тридцать лет закончилось и началась работа. Маша купила билеты и полетела в Тулузу, чтобы уже наяву пройти по маршруту и вспомнить то, о чем тридцать лет просила та девушка, бросившаяся в фонтан на Place Roder Salendro.

Я очень устал. Чтобы увидеть ее сон, мне понадобился опыт практически всей моей жизни. Она не может быть одна. Их должно быть много. Всех убить не могли, кто-то еще выжил. Кто-то ушел от погони и передал свой ген. Мужчинам сложнее заметить знаки, женщинам легче. Они — и мужчины, и женщины — за века рассеяны по всей планете. Но их всех должно тянуть во Францию, туда, где жили их предки. Может быть, читая эти строки, они поймут, что это про них. Тогда они меня найдут. Они найдут меня сами.

ПОСЛЕСЛОВИЕ

Продолжение следует.

БЛАГОДАРНОСТИ

В августе 2008 года я стоял на развилке судьбы и думал о том, что у меня есть шанс выбрать иной путь. Но логика жизни шептала в ухо об опасностях, которые могут ждать, и ценностях, которые можно потерять, ценностях, казавшихся ей, логике, весьма значительными, весомыми и невозвратными — при их утрате. Я никогда ни с кем не советовался, у меня всегда было интуитивное ощущение правильного выбора, но сейчас у логики были железные аргументы: она добила меня моим же возрастом. Мне сорок восемь лет, и в таком возрасте что-то менять, имея за плечами очень неплохие жизненные параметры, по меньшей мере, глупо. Интуиция ничего не могла возразить, она вздыхала и думала про себя: ну есть же шанс, он есть! Да, шанс. Не факт, что так все и будет, но он достаточно большой, этот шанс. И я сделал то, чего никогда не делал: я решил спросить своего старшего сына Евгения, что он думает по этому поводу. Женька не сомневался, у его логики был совершенно другой подход, и его интуиция не испытывала пресса прожитых лет: «Папа, когда Лужкову было сорок восемь лет, поверь, его ни одна собака не знала!» Спасибо тебе, мой дорогой Евгений, за то, что изменил всю нашу жизнь одной фразой!

Я благодарен всему своему роду и, в первую очередь, маме и папе, которые никогда не сомневались в своей вере в Бога и передали мне эту веру. Благодарю мою семью, мою вторую жену Алену, моих сыновей Альберта, Владимира и Александра-младшего, который появился на свет практически одновременно с этой книгой. И еще раз Владимира, который на момент написания этой книги уже достаточно подрос, чтобы составить мне полноценную компанию в моих путешествиях и исследованиях территории Франции.

Я хочу поблагодарить всех телезрителей, кто меня подбадривал на проекте «Битва экстрасенсов» — личными переживаниями, письмами и словами поддержки. Я чувствовал это физически! Благодаря вам я стал известным, и поэтому теперь имею возможность говорить и быть услышанным. Я благодарен тем, кто своими визитами ко мне дали ту необходимую степень свободы, позволяющую выразить свои мысли для всех.

Я благодарен Кате и Грегу Тейн, которые позволили найти мне место для написания этой книги и даже больше. Впервые приехав во Францию к нашим с Аленой друзьям, я влюбился в их светлый дом и, через энергию этого дома, я полюбил всю Францию. Тогда я еще не знал, что именно в этом доме займусь делом, о котором мечтал, но не было ни времени, ни места, ни той необыкновенной степени свободы в своей памяти. Я подумать не мог, что дом Кати и Грега станет для меня тем необходимым ядром концентрации моих мыслей, и уж точно не ожидал, что многие события, которые произойдут со мной в дальнейшем, будут связаны с Францией. Катя и Грег, спасибо вам за ваше необыкновенное гостеприимство и тепло, а также за то, что ваше приглашение неожиданным образом дало мне возможность найти то, что я искал всю свою жизнь.

Я хочу сказать спасибо мирозданию за этот опыт. Ни одно знакомство не было случайным. Люди, которые встретились мне на пути, все как один и независимо друг от друга помогали мне. Даже те, с их выпадами и колкостями в мой адрес, с их скепсисом и неверием, и они тоже участвовали в моем обучении и помогли преодолеть и сломать главного врага, мешающего жить и мне, и огромному количеству людей на планете. Сомнение повержено. Я создан по образу и подобию! И я претендую на Истину.

ОТЗЫВЫ О КНИГЕ «ВЫШЕ БОГА НЕ БУДУ»

«Книга „Выше Бога не буду“ для меня стала талисманом. Купила ее перед выходными с расчетом, что буду читать в метро по пути на работу, но все выходные в свободное время я брала ее и читала, читала, читала… Я растворилась в ней. После прочтения задумалась о своей жизни: что было, что у меня есть сейчас, чего хочу, стала больше обращать внимание на свои ощущения, мысли и чувства»

Ирина Карпова

«Читаешь и словно эффект дежавю… Ощущение, что был в подобной ситуации, возвращаешься в прежний мир снова и снова. Книга учит прислушиваться к себе, приходит понимание того, что Мироздание знает о тебе все, а также предостерегает, подсказывает, делает „прививки“, книга эта — как памятка… Хочется исправиться и не делать ошибок, потому что осознаешь, о чем, почему и для чего все это было нам открыто. Дочитав, понимаешь, что обязательно будет продолжение. Ждем с таким же нетерпением. Александр Богданович, спасибо огромное!»

Рита Резеда

«Александр Богданович! Спасибо большое за книгу и вашу открытость. Прочла с большим интересом, и посмеялась над некоторыми ситуациями, и поплакала. Так странно, но многие эпизоды и зарисовки из вашей жизни ярко представились. Ваша книга, как жизнь, многогранна, и за некоторыми рассуждениями кроется такая глубина, что каждый раз перечитывая, открываешь новый пласт информации. Очень созвучно мне ваше отношение к Богу: „Раз я создан по образу и подобию, то и сам могу себя регулировать, если буду в гармонии“. Глубоко задумалась над фразами: „Проблемы мы получаем на стереотипах поведения“, „Иногда природе надо дать что-то малое, чтобы она не взяла большего“. Ваша книга — это толчок к глубинной работе каждого, кто серьезно относится к жизни и себе. На мой взгляд, если человек проработает подобным образом свою жизнь с точки зрения цепочек событий, прихода и ухода людей как попутчиков нашей жизни, изменения интересов и т. п., то это даст другое понимание реальности. Спасибо за ваш труд и посыл к развитию. Пишите продолжение, это действительно нужно и важно!»

Татьяна Вторушина

«Добрый день, хочу выразить огромную благодарность вам, Александр, за книгу „Выше

Бога не буду“. В ней я нашла для себя ответ, так как несколько лет страдала от очень сильной боли в спине. Однажды целую неделю не могла встать, настолько невыносимой была боль. Из-за панических атак я не могла ни посетить врача, ни пройти МРТ-обследование. Меня спасла ваша книга! После того как ее прочитала, почти два месяца ждала грозу. И когда наступила подходящая погода, пришлось кувыркнуться на улице! Это было чудом. Впервые за несколько лет я спала без боли и ощутила, что каждое движение доставляет мне радость. С момента излечения прошло два месяца, той невыносимой боли больше нет. Спасибо!»

Валентина

«Давно не читал с таким удовольствием! Спасибо вам за этот рассказ! Книгу я увидел в магазине неслучайно. Давно уже подметил, что книги, передачи, фильмы попадают мне неслучайно в нужный момент — то же прочитал и в вашей книге.

После прочтения испытал такое чувство, будто пообщался с родным человеком, которому полностью доверяю. Еще раз большое спасибо за книгу и за то, что помогаете нуждающимся людям!»

Алексей

«Спасибо за книгу. В ней мощный заряд на добро. Пишете эмоционально, проникновенно, иной раз на слезу пробивает. У вас огромное любящее сердце»

Олег

«Здравствуйте, Александр Богданович! Хочу выразить вам благодарность за книгу „Выше Бога не буду“. Очень интересно, есть над чем задуматься и чему поучиться. Особенно насчет интуиции, как научиться к ней прислушиваться, доверять и делать правильные выводы. Вы это на собственном опыте наглядно показываете. Спасибо вам за добрую и полезную книгу. Буду ждать и надеяться на ее продолжение. Дай вам Бог здоровья, успехов и благополучия!»

Петр

«Спасибо вам за книгу! Муж, когда видел ее у меня в руках, посмеивался: „В былые времена тебя б на костре сожгли!“ Хотелось пожалеть его, что не понимает того, что понимаю я. У него другие радости в жизни, и все-таки мы вместе. Благодаря вам не сокрушаюсь на этот счет, не жалею, а яснее вижу урок, который надо выполнить хорошо. Здоровья вам!»

Марина

Мы должны воспитывать счастливых людей!

А. Литвин

Консультации для родителей по вопросам воспитания и развития детей, выстраивания отношений с ребенком внутри семьи — это мои рекомендации, основанные на анализе личной энергетики вашего ребенка, а также энергетики вашего рода с двух сторон.

Важно: то, как вы в дальнейшем будете использовать и применять эти рекомендации, остается полностью на ваше усмотрение.

Мои рекомендации для тех, кто:

уверен в том, что все хорошее, что мы делаем для своих детей, мы делаем для себя;

считает, что главная цель воспитания ребенка состоит в том, чтобы он вырос счастливым и реализованным человеком.

Вы узнаете:

какими врожденными склонностями обладает ваш ребенок;

какая методика воспитания ему лучше всего подойдет;

как приобрести авторитет в глазах вашего ребенка;

как научиться говорить с ребенком так, чтобы он вас слышал;

что делать с его детскими страхами;

здоровье, прививки, питание, перемещение в пространстве;

периоды снижения иммунитета, особой склонности к риску и повышенного травматизма;

отдавать ли вашего ребенка в школу на год раньше или на год позже обычного срока;

какое влияние на вашего ребенка оказывают его друзья;

когда повзрослеет ваш ребенок и когда вам начинать разговаривать с ним на равных.

Целых лет двадцать человек занимается каким-нибудь делом, например, читает римское право, а на двадцать первом вдруг оказывается, что римское право ни при чем, что он даже не понимает его и не любит, а на самом деле он тонкий садовод и горит любовью к цветам.

М. Булгаков

Консултирование по выбору профессии — это мои рекомендации, основанные на анализе вашей личной энергетики, относительно профессионального и географического направления, в котором вы сможете максимально раскрыться и наиболее полно реализовать свой потенциал. Вы узнаете, какими уникальными качествами вы обладаете, как их использовать, как изменить свою жизнь, разрушить стереотипы, навязанные социумом, и стать собой.

Важно: то, как вы в дальнейшем будете использовать и применять эти рекомендации, остается полностью на ваше усмотрение.

Мои рекомендации для тех, кто:

только выбирает или уже заканчивает специальное, среднее, высшее образование, но не знает, какой профессии и карьере посвятить жизнь;

уже имеет образование, но не уверен в правильности его выбора и определения дальнейшего профессионального пути;

не удовлетворен своей работой;

хочет найти себя, стать тем, кем призван и создан быть.

Мои рекомендации не окажутся полезными:

для тех, кто ожидает от меня лишь подтверждения собственных ощущений и амбиций, а также помощи в моделировании успеха, независимо от возможностей и ограничений, налагаемых личной энергетикой;

для собственников бизнеса, не являющихся частными предпринимателями, для топ-менеджеров, работающих с коллективами людей (для этого существует бизнес-консультирование).

Запись на консультацию осуществляется моим администратором по телефону:

+7-915-468-25-02

На скайп-консультирование можно записаться на моем сайте:

http://www.alexander-litvin.ru